스물한 가지의 기억

스물한 가지의 기억

초판 1쇄 발행 / 2023년 08월 09일

지은이　한혜진

펴낸이　문미희
디자인　한혜진
일러스트　한혜진, 최아진
도움　글지마, 한원경

펴낸곳　**달하나**
주소　서울시 강동구 올림픽로 659 5층
전화　02-797-7176
팩스　050-8928-7854
이메일　dalhanah21@gmail.com
등록번호　제 2023-000041 호

ISBN　979-11-983832-1-1 03800

사용 서체 제주 명조

스물한 가지의 기억

한혜진 지음

차례

들어가며

21은 내가 중학교 1학년 때부터 좋아하기 시작한 숫자이다. 좋아하는 같은 반 남학생의 번호가 21이어서 매일 일기장에 21을 가득 적기도 했다. 집 앞을 지나는 21번 버스를 타면 운이 좋다고 생각했다. 투애니원 걸그룹이 나왔을 때, 내 21번을 빼앗겼다고 생각하기도 했다. 세월이 지나 사랑하는 남동생 태호를 21번 부표에서 보냈다. 나에게 21을 좋아하는 이유가 하나 더 생긴 참에 이번을 기회로 하나의 이유를 더 만들어 보기로 하였다. 내 동생 태호에 관한 스물한 가지 에피소드를 떠올려보기로 하였다.

나는 바다를 좋아했다. 바다에 가면 마음이 확 트이는 느낌이 든다. 그래서인지 바다가 둘러싸인 두 섬나라에서 공부하기도 했고, 바다를 배경으로 그림을 그리기도 했다. 지금은 바다가 있는 인천에서 살면서 일하고 있다.

코로나 팬데믹 기간 동안 나는 몸보다 마음이 지쳐있었다. 그래서 일을 좀 줄이기로 마음먹었을 때, 태호가 하늘나라로 갔다. 쉬기로 한 기간에는 태호를 추모하며 보내기로 했다. 동생에게 누나로서 해줄 수 있는 것이 무엇인지 생각을 해봤을 때, 태호를 기억해주는 것으로 생각했다. 글로 태호와의 특별한 경험을 기록하기로 마음먹었다. 내 동생 태호가 이 세상에 왔었다는 것을 남기고 싶었다.

이렇게 태호에 대해 글을 남기자 마음먹었지만, 글을 쓸 때마다 마음이 요동쳐서 진행하기가 어려웠다. 그러던 중, 나는 코로나에 걸려 자가격리를 하게 되었다. 반려견 카푸와 같이 격리하면서 태호에 관한 내용을 많이 쓰고 몸이 나았다.

태호에 대한 기억을 억지로 포장하고 싶지는 않았다. 최대한 솔직하게 태호에 관한 기억을 담으려고 노력하였다. 디지털 세상이 되어 블로그나 SNS 쪽이 더 활성화되었지만, 나는 책으로 된 문서가 가장 오래 남을 것이라고 생각했다.

01 멋쟁이

태호는 색이 선명한 원색 계열의 옷을 좋아했다. 한번은 태호가 폐렴으로 병원에 입원해 있을 때, 파스텔 하늘색 베개를 사다 준 적이 있다. 태호가 그 베개를 보자 질색하는 표정을 지었다. 베개를 치우라고 해서 구석에 치워놓았다. 그래도 싫다고 하는 통에 태호 눈에 안 보이는 곳에 처박아 놓았었다.

설날이나 추석 같은 명절 때면, 많은 친척이 다 같이 모였기 때문에 태호는 특별히 옷에 신경을 썼다. 옷을 세 벌 정도 골라 놓으면 태호가 그중에서 비비드한 색의 옷을 고르곤 했다. 예를 들면 샛파랑, 샛빨강 같은 색들이었다. 옷을 좋아하는 태호를 위해 엄마는 할머니댁 갈 때마다 티셔츠 한 장이라도 꼭 사다 주었다. 그래서 태호는 옷이 많았다. 할머니가 돌아가시고 이사를 하게 되었을 때, 그 옷들은 다 기부했다.

할머니가 돌아가시고 태호는 요양병원에 입원하게 되었다. 폐렴을 앓은 후유증으로 가래를 매일 제거해줘야 했다. 태호가 좋아하는 옷을 마음껏 못 입게 되자 엄마는 면회 갈 때마다 갖가지 색의 양말을 사다 주었다. 병원에서는 양말을 주로 손에 끼고 있었다. 태호가 손으로 몸을 막 긁어서 상처를 내곤 해서 방지용이었다.

태호가 태어나자마자 아빠는 아들이 잘생겼다고 이야기했다고 한다. 그런데 갑자기 병원에서 태호가 아프다고 연락이 왔다. 병원으로 달려가서 태호의 부은 얼굴을 보고 아빠는 너무 슬펐다고 했다. 항생제 주사를 맞으며 치료를 받은 탓이었다.

퇴원 후에도 태호는 캐리 쿠퍼라는 미남 배우를 닮았다며 아빠가 이야기했었다. 만약 태호가 아프지 않았다면 엄청 멋쟁이였을 거라고들 했다. 여동생은 이 세상에 왔을 때나 이 세상을 떠날 때나 태호는 아름다운 얼굴이었다고 했다.

02 카스타드

태호는 일곱 달 반 만에 조산으로 태어나 엄청 작은 아기였다. 내 앨범에 꽂혀있는 사진을 보면 태호는 진짜 진짜 작다. 집에 데려온 그 작은 아기가 우유를 그렇게 잘 먹었다고 한다. 우리 집은 2층 단독주택이었는데 엄마는 2층에서 꼼짝하지 않고 태호를 먹이고 재웠다. 엄마가 지극정성으로 돌봐서 태호를 살렸다고 외삼촌이 말했다.

태호는 비록 일찍 태어났지만 건강했다. 처음에 1.61킬로그램이었기 때문에 태호는 병원 인큐베이터에서 지낼 수밖에 없었다. 거기에 한 달간 있으면서 태호는 잘 먹어서 금방 2.3킬로그램이 되었다. 병원에서 이제 퇴원을 해도 된다고 했다. 엄마 아빠는 추석을 앞두고 있기도 하여 인큐베이터에 며칠 더 있으면서 3킬로그램이 되면 퇴원하겠다고 병원에 전했다. 그리고 드디어 퇴원하기로 한 날이 다가왔다. 그런데 퇴원 하루 전날, 병원에서 아이가 이상하다는 연락이 왔다.

병원에서는 의뢰서를 써주며 급하게 다른 큰 종합병원

으로 가라고 했다. 퇴원 절차를 밟으면서 병원비를 받지 않았다고 했다. 우리 친척 의사가 아는 A 병원으로 옮기겠다고 하니 그쪽 병원에는 아는 의사가 없다며 B 병원으로 가라고 했다.

옮긴 B 병원에서 태호는 검사라는 검사는 다 했다. 특히 척추에서 3~4번 정도 물을 빼서 균 검사를 했는데, 아무 이상이 없었다고 했다. 따라서 세균 감염에 의한 문제는 아니었다. 갖가지 검사를 해야 하니 태호는 중환자실에서 빈 젖꼭지만 물고 거의 굶다시피 하고 누워 있었다. 친척 의사가 직접 병원의 차트를 확인했었다. 태호가 잘 먹어서 변을 많이 싸니 덜 먹이라는 지시까지 적혀 있었다고 했다.

엄마가 아침저녁으로 병원으로 태호 면회를 하러 가면 태호는 항상 울고 있었다고 했다. 아침에는 링거를 머리에 꽂았다가 저녁에는 다리에 꽂았다가 번갈아 가며 바늘로 찌른 통에 살점이 떨어져 있곤 했다고 했다. 그 당시, 엄마가 전화하다가 몰래 우는 것을 봤던 기억이 있다. 나는 엄마가 슬픈가 보다 했었다.

B 병원의 중환자실에서 태호는 한 달간 입원한 끝에 퇴원하게 되었다. 그때, 의사가 아빠에게 태호의 뇌 단층 촬영 사진을 보여주며 이 아이는 어차피 오래 살기 어려우니 집에 가서 아무것도 먹이지 말라고 했다고 한다. 의사가 그런 말을 했다는 것을 도무지 믿을 수가 없었다. 엄마에게 물으니 태호에게 예방주사 맞히지 말라고 했던 것만은 기억한다고 했다.

한 달 후, 태호를 안고 병원에 가니 예방주사 맞히지 말자던 의사가 5킬로그램이 된 태호를 보고 깜짝 놀라며

“아기가 엄청나게 컸네요. 예방주사 맞힙시다.”

라고 했단다. 그런 의사가 있을 수 있는지 지금도 의문스럽다.

태호를 유명한 한의원에도 데려갔었는데, 아기가 놀라

서 생긴 병이라면서 우는 감기라고 했다고 한다. 애가 놀라면 뇌의 성숙이 안 된다고 빨간 약을 타서 먹였다고 했다. 나도 그 빨간 가루약의 냄새를 기억한다.

초등학교 때는 내가 밥을 떠먹여 주는 것을 좋아해서 학교 갔다 올 때까지 밥을 안 먹고 기다리곤 했었다. 밥 안 먹고 태호가 기다리고 있었다고 하면 집에 도착하자마자 책가방을 내팽개치고 내가 태호 밥을 먹여준다고 달려가곤 했었다.

태호는 몸에 좋다는 보양식부터 과자, 간식까지 아주 잘 먹었다. 매일 우유를 마시고, 생선, 미역국, 계란말이를 잘 먹었다. 뼈에 좋다는 사골국, 곰국에 밥을 말아서 떠먹여 주면 잘 받아먹었다. 치즈도 매일 틈틈이 한 조각이라도 먹었다. 태호는 장어도 좋아했다. 고등학생 때, 엄마를 따라 경동시장에 태호에게 줄 장어를 사러 간 적이 있다. 그 자리에서 살아 있는 장어를 손질하는 것을 보고 기겁했었다. 명절 때면 불고기나 갈비찜을 잘게 부숴서 국물과 같이 밥과 비벼주면 한 그릇 뚝

딱이었다. 조기도 좋아해서 숟가락에 얹은 밥 위에 조기 살점을 올려주면 잘 씹어 먹었다.

태호는 간식 먹는 것도 좋아해서 밥 먹고 나면 꼭 하나씩 챙겨 먹었다. 바나나, 부드러운 카스테라, 카스타드, 초코파이, 오예스, 몽쉘통통, 홈런볼을 좋아했다. 용돈을 주면 항상 까까 사러 슈퍼에 간다고 했었다. 어떤 발달 장애 아이를 키우는 부모는 순수한 어린아이가 평생 옆에 있는 것과 같다고 이야기한 것을 본 적이 있다. 태호는 비록 몸은 불편했지만, 맑은 정신이 있어서 태호와 함께 있으면 마음이 정화되는 것 같았다.

폐렴을 크게 앓고부터는 먹는 게 목에 잘 걸려서 기침하는 통에 간식을 못 먹게 되었다. 하늘나라로 간 태호에게 인사 갈 때, 나는 카스타드를 사서 챙겨갔다. 아파서 먹고 싶은 것을 먹지 못하는 것이 가장 고통스러운 게 아닐까 싶다.

03 짝사랑

태호는 어렸을 때, 주현미의 〈짝사랑〉 노래를 유독 좋아했다. 간드러진 목소리가 좋았던 모양이다. 엄마는 태호를 봐주는 분들이 트로트를 좋아해서 그런 거라고 이야기했다. 외할머니가 봐주실 때는 나도 항상 같이 있었는데, 나는 김범룡의 〈바람 바람 바람〉을 좋아했던 걸 보면 〈짝사랑〉은 확실히 태호의 취향이 분명했다.

카세트 플레이어에 주현미 메들리 카세트테이프가 항상 꽂혀있었다. 나중에는 하도 들어서 테이프가 늘어져서 가수의 목소리가 약간 저음이 됐었다.

태호에게

"마주치는 눈빛이"

라고 첫 소절을 불러주면 활짝 웃었던 기억이 있다. 그 덕에 나도 짝사랑 가사를 다 외우고 옆에서 불러주곤 했다. 태호는 사랑이라는 단어를 좋아한 걸까?

(작사 이호섭, 작곡 김영광, 노래 주현미, 1989)

04 뇌

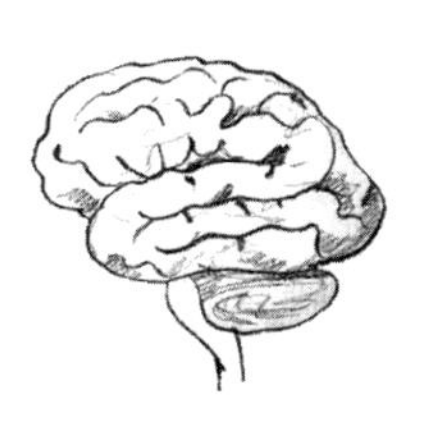

어렸을 때, 친구들이 동생 태호에 관해 물으면 나는 앵무새처럼 외운 문장을 이야기하곤 했다.

"태호는 일곱 달 반 만에 태어나서 몸이 약해."

그래서인지 나는 어릴 적부터 유독 뇌와 관련된 이야기에 관심을 가졌었다. 색채 공부를 하다가 뇌 이미지가 나오면 나는 열광하곤 했다. 태호가 어떻게 보는지에 대해서 조금은 이해할 수 있을 것 같아서 뇌와 관련된 시각 공부는 어렵지만 내 사명이라고 느꼈다. 뇌 관련 내용을 읽다가 안 사실이지만, 명확하게 밝혀진 우리 뇌의 활동은 절반의 절반도 안 된다는 것이다. 내가 백날 머리를 싸매고 뇌와 관련된 논문을 읽는다 한들 태호의 뇌가 나아질 가능성은 매우 매우 희박하다는 것도 깨닫게 되었다.

그래도 한가지 흥미롭고 다행이라고 생각하게 만든 라마찬드란 박사의 다큐멘터리가 하나 있었다. 다큐멘터리 속의 등장인물은 사고로 인해 뇌의 얼굴인식과 관련된 부분이 손상을 입어 엄마를 봐도 엄마로 인식하지 못했다. 그러나 엄마의 목소리를 들으면 엄마로 인식했다. 청각과 관련된 부분은 멀쩡했기 때문이다. 나중에 시간이 지나면서 엄마로 인식하는 뇌의 부분들이 손상을 입은 얼굴인식 부분을 제외하고는 연결성이 강해져서 엄마를 인식하는 경로가 새로 만들어졌다고 했다.

그 다큐멘터리를 보고 나는 태호가 우리 가족 한명 한명의 얼굴과 목소리를 인식하고 한국어, 중국어를 이해하는 것은 바로 태호만의 경로를 만들었기 때문이라고 생각했다. 태호를 잘 모르는 사람들은 태호가 말을 못 알아듣고, 사람도 못 알아볼 것이라고 지레짐작하기도 했다. 하지만 태호는 유독 사람을 잘 알아봤었고, 태호를 돌보는 중국 아줌마들이 뒷말하는 것을 듣고 반응을 하곤 했었다.

태호는 조금 일찍 태어났지만, 인큐베이터에서 건강하게 있었다. 퇴원해도 된다고 해서 엄마는 귀한 아들 방을 꾸미려 아기 침대도 사고 이것저것 준비를 했다. 그러던 중, 갑자기 병원에서 아이가 이상하다고 연락이 왔다. 큰 병원으로 옮겨서 검사하라는 청천벽력같은 소식이었다.

신생아 아이가 잘못될 수 있는 세 가지라고 어느 글에서 본 적이 있다.

1. 떨어트렸을 경우
2. 우유가 기도를 막았을 때
   (뇌에 산소가 순간적으로 공급이 안 된 경우)
3. 균에 의한 감염

친구 Y는 우리 부모님은 왜 그때 의료소송을 왜 하지 않았느냐고 물어봤다. 엄마에게 같은 질문을 했더니 태호 살리는데 병원 쫓아다니느라 여력이 없었다고 했다. 큰 병원을 상대로 하는 소송은 기나긴 싸움에 엄청난 돈이 들어가지만, 승산이 없다. 공룡을 상대로 힘없는 쥐가 싸우는 꼴이니 더 말할 것도 없다. 그때 소송을 했었더라면 우리 집은 풍비박산이 났었을 것이다.

태호 태어난 병원에서 같은 해에 신생아 의료사고가 있었다. 그래서 병원에서는 최대한 쉬쉬하려는 분위기였다. 실제로 그 병원에서 근무하는 간호사가 친척과 지인이라 엄마와 아빠에게 양심고백을 하려고 했었는데, 잘되지 않았다고 했다. 태호가 추석 이후에 퇴원하기로 했었으니 간호 인력이 부족한 추석 기간 전에 퇴원했더라면 태호의 상태는 달라지지 않았을까 추측할 뿐이었다. CCTV가 있는 지금도 비슷한 일의 실상을 밝혀내기 어렵다고 뉴스에 나오곤 하니 CCTV 따위 없던 그 당시는 더욱 밝혀내기 어려웠다.

태호가 태어나고 엄마는 몸조리도 제대로 하지 못한 상태였기 때문에 아빠가 담당 의사를 만났다. 그때 의사에게 태호의 상태에 관해 듣고 아빠는 절망했다. 그 이후로 아빠의 세상은 암흑 같았다고 고모의 입을 통해 들을 수 있었다.

어떤 선생님은 태호가 스티븐 호킹 박사처럼 몸은 불편해도 뇌의 다른 부분을 발달시켜서 천재로 만들 수도 있지 않겠냐고 했었다. 엄마는 태호에게 그런 부담을 주고 싶지 않다고 했다. 그저 행복하게 살다가 가면 좋겠다고 했었다. 내가 고등학교 때 시험공부를 하면서 태호에게 같이 공부하자고 책을 읽어주면 태호는 지루해하며 딴청을 했었다. 태호가 자기는 머리가 나쁘다면서 머리를 만졌던 기억이 있다.

태호가 학교 다닐 때, 가끔 태호 몸을 주무르면서 마사지를 해주시던 선생님이 있었다, 한번은 그 선생님과 엄마와 함께 저녁을 먹으며 이야기를 나눈 적이 있었다. 태호 몸은 점점 경직될 것이고 그렇게 되면 서른 살을 넘기기 힘드니 몸을 수시로 풀어주어야 한다고 했다. 그때 처음 태호의 병명을 알았고 우리 곁에 그리 오래 있지 못할 수 있겠다는 것을 알게 되었다.

05 수술

태호가 일곱 살 때, 큰 수술을 한번 했었다. 그 수술은 걸을 수 있게 하려고 다리의 뼈 각도를 트는 것이었는데, 일곱 살에 수술해야 효과가 있다고 했었다. 양쪽 사타구니에 있는 신경과 발목의 힘줄에 가하는 수술이었다. 수술하자마자 수술 부위에서 피가 터져서 지혈을 하느라 애를 먹었다고 했다. 다리 각도를 바깥으로 틀기 위해 태호는 다리를 깁스로 고정한 채 한달 간 병원에 꼼짝없이 입원해 있었다.

수술 전에는 태호는 스스로 몸을 뒤집고 배밀이로 움직이기도 했었지만, 수술 후에는 못하게 되었다. 특수 보행기를 타고 태호는 재활 운동을 했었다. 태호의 손을 잡아주면 걷기도 했고, 혼자 벽이 기대서 오래 서 있기도 했었다. 엄마는 그 수술을 하지 않았더라면 오히려 태호가 더 잘 걸을 수 있었을 것이라고 이야기했다.

처음 시도하는 수술이었는데, 나중에 태호를 돌봐주었던 선생님 중에 그 수술한 아이들은 다 못 걷게 되었다고 말한 것을 들었다고 엄마가 말했다. 태호는 오랜 병원에서의 기억과 수술 때문인지 유독 잠드는 것을 싫어했었다. 태호가 꾸벅꾸벅 졸고 있어서 졸리냐고 물으면 항상 눈을 부릅뜨고 졸리지 않다고 했었다.

워낙 태호가 어렸을 때부터 큰 수술과 평생 치료를 해왔던 터라 엄마이기에 내가 아프다고 해도 매우 대담하게 그 정도는 괜찮다고 이야기를 해서 서운했던 적도 있었다.

태호 수술 뒤로 우리 집은 서양 의술을 별로 믿지 못하고 좋아하지 않게 되었다. 되도록 몸에는 칼을 대지 않는 것이 좋다는 옛 동양인들의 생각을 우리 집은 믿고 있다. 내가 한창 요가에 열을 올렸을 때, 요가 선생님도 수술한 사람은 몸의 연결이 끊겨서 확실히 요가할때 몸이 비교적 뻣뻣하게 느껴진다고 말한 적이 있었다. 그것은 성형 수술도 해당한다고 했었다. 의학 박사까지 공부하신 선생님이라 그 말에 신뢰가 갔었다.

우리 집 식구들은 대체 의학과 민간요법에도 관심이 매

우 많았다. 서양 의학에 대한 불신 때문이었으리라. 태극권을 하는 선생님께 태호 치료를 부탁한 적도 있었다. 그때 수술한 부위가 건드려지면서 태호는 이전보다 더 걷기 어렵게 되었다.

태호의 다리 위쪽 부분에 커다란 수술 자국이 양쪽에 있었다. 나는 태호의 수술 자국에 익숙했던 탓인지 팀 버튼의 캐릭터들을 좋아했다. 크리스마스 악몽에 나오는 여자 캐릭터의 실밥 자국을 좋아했다. 실로 꿰매면 걸을 수도 있고, 사랑받을 수도 있었다. 가위손에 나오는 조니 뎁의 흉터 자국도 좋아했다.

06 놀이동산

태호는 놀이동산에 가는 것을 무척이나 좋아했다. 엄마랑 누나들과 함께 놀이동산 가는 것이 좋았던 것 같다. 태호가 유모차를 타고 다녔을 때는 집에서 가까운 〈드림랜드〉에 자주 갔었다. 거기에 있는 수영장에 나는 일주일에 세 번 수영을 배우러 다녔다. 그럴 때면 태호는 엄마와 같이 와서 회전목마를 타고 유모차를 타고 주변을 구경하곤 했었다. 휴일이면 엄마가 자동차에 우리 삼 남매를 태우고 〈서울랜드〉나 〈자연농원(애버랜드)〉까지 데리고 다니기도 했다. 막내가 태어나기 전의 일이다.

〈롯데월드〉가 생긴 뒤에는 그곳에 가는 것을 더 좋아했다. 거기에 가면 항상 즐거운 음악과 다양한 캐릭터를 볼 수 있고, 행복한 아이들이 가득했다. 가끔 기념품 사 달라고 떼쓰며 우는 아이를 제외하곤…. 특히 회전목마가 돌면서 아래위로 움직이는 것을 좋아했다.

항상 〈롯데월드〉 단어를 연발했었다. 시무룩하다가도

"롯데? "

하면 환하게 웃음 지었다. 태호는 아무 때나 말하지 않고 편한 사람들이 있을 때만 말을 했다.

〈롯데월드 테마송〉이 따로 있었는데,

"꿈속에 보았던 신비한 세계
모두가 오고 싶던 곳
모험과 환상이 가득한 이곳
사랑의 낙원이에요."

이 음악이 담긴 테이프도 집에 있었다. 가수 윤형주 씨가 만든 노래이고 그 당시 따님들이 직접 부른 노래라 더욱 놀라웠다. 여기 가사에도 사랑이라는 단어가 많이 나온다. 태호는 사랑이라는 단어를 좋아했나 보다.
엄마는 항상 태호 데리고 롯데월드를 가면 모자를 사서 씌워줬다. 그리고 손금을 봐주는 마귀할멈 기계 뒤편에 있는 유니콘 모양의 놀이기구도 태웠다. 태호가 계속 타고 싶어 하는 통에 500원 동전을 여러 번 바꾸러 가곤 했었다.

어릴 적 앨범들 보면 자그마한 태호는 유모차에 앉아 함박웃음을 짓고 있고, 나와 여동생은 태호를 태운 유모차를 끌거나 그 옆에 서서 사진을 찍기도 했다.

생각해보면 롯데월드는 입구에서부터 아픈 태호가 와도 손을 흔들며 반갑게 반겨주는 사람들이 있었다. 장애인을 위한 혜택이 생겨나 장애인 패스도 따로 있어 년 권으로 끊었던 기억이 있다. 장애인을 위한 넓은 입구가 따로 있었다. 태호는 반갑게 맞아주는 사람들, 행복하게 노는 사람들을 구경하는 것이 좋았던 모양이다.

07 움직이는 게 좋아

태호는 자유롭게 움직이지 못하는 대신 탈 것을 좋아했다. 어릴 적에는 보행기, 유모차, 커서는 휠체어에 타고 마당에 나가 바람 쐬는 것도 좋아했다. 중국 갈 때는 큰 비행기도 탔고 천진에서 심양으로 옮길 때는 작은 비행기도 탔다. 버스를 타고 학교 가는 시간, 택시 타고 롯데월드를 가는 것도 좋아했다.

장애인 택시가 생겼을 무렵에는 택시를 예약하자마자 바로 도착해서 매우 편리했었다. 그러나 이후에 사용자가 늘어나면서 대기 시간이 매우 길어져 우리는 다 같이 롯데월드 1층 로비에서 한참을 기다린 적도 있었다. 나중에 내가 돈 벌어서 SUV를 사면 뒷공간을 개조해서 태호를 태워서 롯데월드를 가봐야지 했었는데, 내가 돈 벌어서 차를 너무 늦게 샀고, 내가 차를 산 무렵에는 태호 몸이 약해져서 외출하기 어려웠다.

태호가 병원에 있을 때 한번은 엄마가 외삼촌에게 부탁해서 집으로 잠깐 외출을 할 수 있게 했다. 태호는 다시 병원으로 돌아갈 때 가기 싫다고 집에 같이 있고 싶다고 했었다.

여동생이 결혼하고는 제부와 가끔 태호를 면회하러 같이 갔었다. 덩치가 큰 제부가 태호를 휠체어로 옮겨서 옥상으로 나가 바깥 공기를 쐬어주기도 했다.

이 세상을 떠날 때, 탈 것을 좋아하는 태호는 차도 실컷 타고 마지막으로 배를 타고 다 같이 바다로 나갔다. 내가 언젠가는 태호를 꼭 태워주고자 마음 먹었던 내 소형 SUV를 끌고 태호 장례식에 가게 되었다.

08 스토커

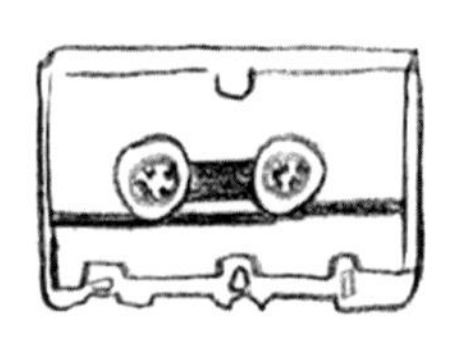

내가 초등학교 때의 일이다. 그 당시에는 내가 충격 받을까 봐 엄마 아빠가 쉬쉬해서 전혀 몰랐던 일이었다. 그 당시, 카폰이라고 자동차에 연결된 기계는 있었지만, 휴대전화가 없던 시대라 주로 집 전화로 연락을 많이 했었다. 아빠가 사업을 하시니 우리 집에 전화가 울리는 일이 많았다. 발신자 표시 기능이 없었기 때문에 누가 전화하는지 알 수 없어 장난 전화도 많던 시절이다.

그러던 어느 날, 우리 집에 신문물이 등장했다. 아주 작은 카세트테이프가 붙어있는 전화기였다. 전화 내용을 녹음할 수 있는 기능이었다. 나는 워낙 작은 소품, 미니어처 등을 좋아해서 그 작은 카세트테이프에도 관심이 갔다. 그 작은 물체에서 엄청 작은 검은 테이프가 끝도 없이 뽑히는 것이 신기해서 줄줄 빼다가 엄마한테 그러면 안 된다고 혼난 적도 있었다. 그 마이크로 카세트테이프는 수입품이라 상당히 비쌌던 것으로 기억한다.

그 후, 중학교에 가는 아침 길에 엄마가 차로 태워다 주며 그 신문물을 왜 샀었는지 이야기해 준 것 같다. 스토

킹을 당했었다고 했다. 그래서 증거를 잡기 위해 그 작은 카세트테이프가 꽂힌 자동응답기가 필요했다.

괴롭힘은 엄마를 향한 것이었는데, 모르는 여인으로부터 수시로 전화가 걸려와 아빠가 전화를 받을 때는 부인 단속을 잘하라고 타일렀고, 엄마가 받을 때는 아픈 자식이나 잘 돌보라면서 기분 나쁜 단어를 사용하여 이야기했었다고 했다. 본인은 누군지 밝히지도 않아 전화 내용을 녹음한 것을 강력계 형사에게 들려주게 되었고, 엄청 원한이 깊은 원수가 아니고서야 이렇게까지 하지 않는다고 이야기를 해주었다고 한다.

1년간 계속된 괴롭힘에 시달린 끝에 범인이 내가 다니고 있던 초등학교의 학부모라는 단서를 찾아냈다. 엄마 아빠는 형사와 함께 학교에 찾아갔다. 선생님들께 녹음을 들려주면서 누구인지 연락처 좀 알려달라고 했었는데, 누구인지 특정할 수 없고 개인정보라 곤란하다는 답변을 들었다. 아빠는 화가 나서 경찰서에 정식으로 신고를 하겠다고 했는데, 학교 선생님들이 집 앞까지 찾아와 가해자가 사실은 학부모 중에 있으니 선처를 해 달라고 간절히 부탁했다.

결국, 엄마와 친한 학부모들을 통해 누구인지를 알게 되었다. 엄마가 직접 전화를 걸었는데, 전화 받은 사람은 그 집 시어머니였다. 녹음 내용을 들려주자 처음에는 누구인지 모르겠다며 발뺌했다고 한다. 엄마의 경찰서에서 보자는 말에 결국 시인하고 직접 만나기로 했다. 시어머니와 함께 나온 여인은 엄마가 처음 보는 사람이었다. 나나 여동생과 다른 학년의 학부모였기 때문에 마주칠 일이 없었다.

그 여인은 학부모 모임에서 몸이 아픈 태호 이야기를 들은 것이다. 다른 엄마들은 아픈 아이가 있는데도 엄마가 밝다고들 이야기했단다. 동병상련의 감정이 들어 엄마와 연락하며 지내고 싶었던 모양이다. 학교에 와서 엄마 얼굴을 보기도 했다. 학부모 연락망에서 우리 집 번호를 알게 되어 전화를 걸었다. 처음에는 학부모들이 엄마 흉을 보는 것 같다고 알려주고 싶었는데, 전화를 걸 때마다 엄마가 집에 없었다. 알면 알수록 본인의 상황과는 다르게 너무 밝고 멀쩡하게 잘 지내는 엄마를 보고 원망의 화살이 엄마에게로 향했다.

그 여인의 첫 아이가 아픈 아이여서 잘못됐는데, 둘째 아이도 또다시 아픈 아이로 태어났다고 한다. 엘리트 부부이고 의사 집안이라 그 가족들은 아픈 아이가 너무 극복하기 어려웠던 모양이다. 부부 사이도 좋지 않고 집안 분위기가 엉망인데, 우리 집은 상대적으로 화목해 보였다고 했다. 더군다나 아픈 아이를 다른 사람들에게는 숨기고 있었는데, 엄마는 드러내놓고 태호를 이야기하는 것이 그 여인을 견딜 수 없게 만들었던 모양이다.

엄마는 몸이 아픈 태호를 위해 그 여인을 선처해주었다고 한다. 그 일이 있었던 후로 그 여인에게 두 번 정도 전화가 왔었다고 했다. 처음에는 정신과에 다니면서 약을 먹고 있다고 했고, 그 후에 정신과 약을 끊고 이사를 했다고 한다. 그 후 우리 집도 이사를 했고 자연스럽게 연락이 끊어지게 되었다.

우리 엄마는 태호를 전혀 부끄럽게 여긴 적이 없었다. 태호가 태어나서 첫돌이 되었을 때, 엄마는 주변에 돌떡을 돌렸다. 나와 여동생, 태호를 데리고 다 같이 외출한 적도 많았다. 오히려 내가 주눅이 들었던 것 같다. 엄마는 어떻게 저렇게 밝을 수가 있을까 생각한 적도 있을 정도였으니, 남이 봤을 때 그저 행복하게만 보였나 보다. 겉보기만 봐서 실상은 아무도 알 수 없는데도 말이다.

09 외할머니

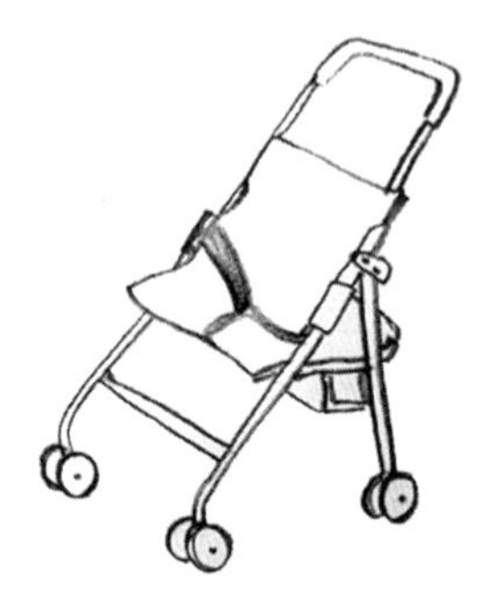

외할머니는 엄마의 이른 결혼과 나의 탄생으로 일찍 할머니가 됐다. 지금 내 나이 만 마흔 살에 할머니가 된 것이니 놀라울 따름이다. 나를 유독 예뻐해 줬던 외할머니 덕에 외할머니댁에 가는 것을 매우 좋아했었다. 태호가 태어나고는 외할머니랑 태호가 할머니댁에 간다고 하면 나도 신나서 같이 따라나서곤 했다. 외할머니댁에 도착하면 외할머니는 삼촌을 불렀다. 엘리베이터가 없는 빌라의 4층에 외할머니 집이 있어서 유모차를 타고 있는 태호를 옮기려면 삼촌이 필요했다.

외할머니는 내가 10살 때 갑자기 돌아가셨다. 그날 아침부터 집안은 소란스럽고 정신이 없었던 기억이 생생하다. 나, 여동생, 태호, 그리고 우리 셋을 돌봐주던 언니는 집에서 대기 상태였다. 태호는 그날 유독 찡찡거렸다. 아마도 외할머니를 찾았던 것 같다. 태호를 달래주기 위해 유모차에 태워 자주 가던 슈퍼에 가서 간식도 사주고 외할머니댁 주변도 한 바퀴 돌았지만, 소용없었다.

외할머니가 돌아가셨다는 소식을 듣고 엄마가 태호에게 설명을 해주었다. 태호를 외할머니 산소에 직접 데려가서 외할머니는 하늘나라 가셔서 못 온다고 이야기해주었다. 태호가 "응."하고 대답을 하고는 그 뒤로 태호는 찡찡거리지 않았다. 외할머니도 찾지 않았다. 그것을 보고 가족들은 놀라워했다. 태호가 외할머니가 하늘나라 간 것을 안다고 했다.

태호 장례식에 온 외삼촌과 막냇동생과 같이 술을 한잔했다. 외할머니 장례식을 마치고 외삼촌은 6개월 넘게 환청에 시달렸었다고 했다. 꼭 해 질 녘이 되면 외할머니가 삼촌을 부르는 소리가 들렸다고 했다. 그 시간은 유모차에 탄 태호와 내가 집 앞에 도착했다는 신호였다. 내려와서 태호를 올려달라고 하는 부름이었다.

외할머니가 돌아가시고 내 꿈에 나온 것은 두 번뿐이었다. 모두 태호와 함께였다. 엄마에게 말하니 태호가 걱정돼서 외할머니가 꿈에 나타난 모양이라고 했다. 이제 태호는 하늘나라에서 외할머니를 만났을까.

10 소황제

태호는 한동안 우리와 떨어져 중국에 가 있었다.

"남동생은 중국에 가 있어."
"유학? "
"그 비슷한 거"

그 시절, 한국과 중국은 1992년 수교를 맺기 전이라 중국으로의 유학은 사실상 불가능했다. 초등학생들이 거기까지 알 리는 없었다. 그들의 부모님이 의문을 가지지 않는다면 말이다. 내 친구들이나 친구 엄마들은 내 동생 태호가 아픈 것에 대해 알고 있었다. 엄마는 태호를 뒷자리에 태우고 나와 여동생을 데리러 학교에 오기도 했었기 때문에 태호를 본 내 친구들도 많이 있었다.

태호를 중국에 보내기로 엄마 아빠가 결정한 계기는 한 중국 의사의 인터뷰 때문이었다. 중국에서 침술로 중풍 환자를 많이 치료한 사례를 소개하는 TV 프로그램이었다고 한다. 태호가 지금보다 나아질 수 있다는 희망을 품었을 것이다.

한국에서 태호가 치료를 받지 않은 것이 아니다. 수술도 했지만, 크게 도움을 받지 못해 침술, 부황, 뜸 등 한의학 치료를 항상 해왔다.

태호는 태어났을 때부터 중국에 갈 때까지 약 7년간 유명한 침 선생님께 침을 맞았다. 일주일에 두 번도 갔었는데, 가끔 나도 같이 삼양동에 끌려가서 침을 맞았다. 앞을 못 보는 선생님이었는데, 나는 무서워서 침 맞기 싫다고 책상에 들어가 안 나온 적도 있었다. 그러면 어른과 사촌들이 내 팔과 다리를 잡고 끌고 나와 배에 침을 맞게 해서 더욱 공포가 심해졌었다.

어릴 적 사진을 보면 태호 얼굴이 얼룩덜룩할 때가 있었다. 부황 치료 때문이었다. 당연히 치료받으러 갈 때마다 태호는 싫은 내색을 온몸으로 표현했었다. 초등학교 때, 한번은 찡찡대는 태호를 달래며 치료받는 데에 따라간 적이 있었다. 치료받기 싫어서 우는 태호에게 치료 안 받으면 엄마가 슬퍼한다고 이야기했던 기억이 있다. 그러자 태호는 꾹 참고 치료를 받았었고, 내가 태호 손을 꼭 잡아주었다.

엄마는 직접 집에서 태호를 치료해주기 위해 수지침 공부를 하기도 했다. 그 덕에 나도 머리가 아플 때는 중지에 수지침을 붙이거나 소화가 안 될 때 손바닥을 누르거나 하는 기본적인 치료법을 외우게 되었다.

한번은 TV 프로그램에서 외국의 종교인이 기도를 해주면 못 걷던 사람도 일어나서 걸었다는 이야기가 나왔다. 그리고 그 종교인이 올림픽경기장에서 실제 기도를 해준다고 해서 엄마가 태호를 데리고 가봐야겠다고 했던 적도 있었다. 여덟 살이었던 내가 봐도 사이비라는 생각이 들었는데도, 엄마는 진짜이기를 믿는 눈빛이었다.

수소문 끝에 엄마, 아빠는 태호를 천진 병원으로 보낼 방법을 찾았다. 1991년, 수교 전이라 비자 받기가 불가능했는데, 천진 병원 의사가 초청장을 보내주어 갈 수 있게 되었다. 그 당시는 천진 병원이 대대적으로 외국인 환자를 받기 위해 17층짜리 병원을 세운 시기였다. 태호와 같이 한 줄기의 희망을 품고 중국행을 택했던 어르신도 있었다고 한다. 다행히 한국에서 중국 천진까지 가는 직항 비행기가 있어서 여덟 살 태호는 이모할머니와 함께 직항 노선을 타고 중국으로 떠났다. 그 당시 엄마는 막냇동생을 임신 중이었다.

처음에 천진 병원에 있을 때는 인천에서 천진 공항까지 직항 항공편이 있어 아빠가 태호를 보러 가기 수월했다. 그래서 그 당시 아빠 차를 타면 중국어 공부 테이프가 재생됐었나 보다. 아빠는 간단한 중국어 회화가 가능할 정도로 공부를 했었다. 심양 병원으로 옮긴 후에는 심양까지 직항이 없어서 힘든 경로였다. 초반에는 고된 길이었기에 아빠, 외할아버지, 외삼촌 남자들만 태호에게 필요한 물건을 이고 지고 면회하러 갔었다.

막냇동생을 낳고 1년 정도 지나 몸조리를 한 엄마도 태호 보러 갈 수 있게 되었다. 엄마는 1년에 네 번, 3개월에 한 번씩 태호를 보러 중국에 갔었다. 천진 공항에서 내려서 기차역으로 이동해서 열 시간 기차를 타고 심양역으로 갔다. 주로 야간 기차를 타고 침대칸에 누워서 쉬면서 가는 일정을 선택했는데, 3년간은 그 힘든 경로로 태호를 보러 갔다고 했다. 엄마는 마치 피난민의 이동 같았다고 기억했다. 그러다가 인천에서 심양까지 직항 비행기가 생겨서 태호 보러 가는 것이 한결 수월해졌다. 친할아버지도 홍콩에 일이 있어 가는 길에 들러 태호 먹을 것 갖다 주신다고 가신 적이 있다고 했다.

태호는 중국에서 눈을 뜰 때부터 잠잘 때까지 갖가지 중국 의술을 이용한 치료를 받았다. 태호를 돌보러 따라간 이모할머니와 태호를 돌보는 두 명의 중국 요양보호사까지 있어 병원에서 태호에게 소황제라는 별명을 붙여줬다고 한다. 지금보다 중국의 물가가 저렴했고, 우리 집의 경제 사정이 좋아 태호는 극진히 대접을 받고 한국에서는 받기 힘든 치료를 받을 수 있었다. 태호는 천진 병원에서 2년, 심양 병원에서 2년, 심양에 아파트를 따로 얻어 4년을 살았다.

천진에서 지낸 2년 뒤, 태호는 더 용한 몽골 의사가 있다는 심양 병원으로 옮기게 되었다. 실제로 거기에서 전기치료와 기치료를 받으면서 2년간은 몸이 좋아졌었다. 심양 병원의 복도가 길어서 태호는 특수 보행기를 타고 그 복도를 걸어 다녔다. 그러다가 몽골 의사 선생님의 욕심에 태호에게 이것저것 먹이기 시작했다. 한약부터 개구리, 뱀, 자연산 자라 등을 먹였다.

개구리를 한 번에 30마리씩 사서 껍데기를 벗겨서 국물을 내서 먹였다고 했다. 나중에는 껍데기 벗기지 않은 산 개구리를 사서 중국 요양 보호사가 직접 껍질부터 손질하기도 했다. 산 개구리를 들통에 넣고 끓이기 시작하면 몇 번 뛰다가 허옇게 변했다고 했다. 우리나라 유명 축구 선수도 보양식으로 개구리를 먹었다고 들은 기억이 있다. 체질에 잘 맞으면 효험이 있다고 했다.

자연산 자라는 그 당시 중국 사람의 한 달 치 월급 값일 정도로 귀한 것이었다. 자라의 피만 따로 먹이기도 했다. 뱀탕은 한국에서 먹인 적도 있었는데, 특유의 냄새를 나도 기억하고 있다. 그러나 뱀을 먹고 역효과가 나면 다 게워내기도 한다고 했었다. 실제로 태호는 중국에 있을 때는 감기 한 번 안 걸리고 잘 지냈다고 한다. 그러나 나중에는 너무 다양한 약과 보양식을 동시에 먹인 것이 역효과가 났는지 태호는 경기를 일으켰다. 그때부터 경기약을 먹기 시작했지만, 그 외에 문제는 크게 없었다고 엄마는 태호 치료에 열정적이었던 몽골 의사를 고맙게 생각했다.

엄마는 천진에서보다 심양에서의 기억이 또렷했다. 태호는 심양에 있을 때도 행복해했다고 엄마는 기억했다. 심양의 아파트에 살 때는 치료 선생님이 직접 태호를 보러 왔었다. 낮에 장침을 맞고, 마사지 선생님이 치료 스케줄을 오전과 오후로 나누어 오셔서 2시간씩 태호의 몸을 풀어주었다.

엄마는 태호를 고치기 위해 별거 다 해보았다고 했다. 중국에서 유명한 기를 통하게 하는 선생님이 전국을 돌고 있어 기치료를 받으러 중국 경기장에 태호를 데리고 간 적도 있다.

근처에 서탑이라는 한인타운에 한국 음식점이 들어오기 시작하였고, 큰 백화점도 생겨 태호와 태호를 돌봐주는 중국 요양 보호사분들과 구경을 하기도 했다. 태호는 같이 노래방에 가서 트로트를 부르는 것과 특히 중국의 고궁을 둘러보는 것을 좋아했다고 했다. 엄마는 갈 때마다 태호를 돌보고 있는 요양 보호사분들에게 고마워했고, 그분들의 스트레스를 풀어주려고 노력했다.

나와 여동생은 너무 어려서 태호를 보러 가지 못해 국제전화로 태호와 통화를 했었다. 그 당시 전화를 바꿔주는 사람이 있었고 우리는 '마마 교환원'이라고 불렀다. 태호와 연결되면 "니하오", "짜이찌엔", "셰셰"와 같이 단순한 중국어 인사로 시작과 마무리를 했었다. 태호는 중국어 생활권에 오래 있던 터라 내용을 잘 이해했었다. 여동생은 우리가 유치원 노래도 태호에게 전화로 불러주었다고 했다.

태호랑 같이 있던 다른 A 형은 태호보다 몸은 더 경직되고 움직임이 힘들었지만, 말은 태호보다 더 잘했다고 했다. 태호가 A 형에게 침놓는 장난을 치면 질색했고, 그것을 보고 태호는 깔깔깔 웃었다고 했다. 그들만의 놀이였다. 둘 다 한국에 와서 각자 생활하게 되었을 때도 가끔 A 형은 엄마에게 전화를 걸어

"태호 어머님, 태호는 잘 있나요? "

하고 깍듯하게 물어보곤 했었다. 엄마는 태호에게 A 형 기억나냐며 연락이 왔었다고 전해주면 안다고 표현하며 좋아했다.

사춘기 시절에는 태호가 보고 싶기도 하고 집을 탈출하고 싶은 마음에 중국으로 유학을 보내 달라고 할까도 생각했었다. 여러 번 머릿속으로 시뮬레이션 끝에 불가능하다고 판단하여 입 밖으로 꺼내 본 적은 없다. 여동생은 대학생 때 중국어 공부를 잠깐 하기도 했다. 그만큼 우리 가족에게 중국은 태호를 치료해 준 곳이라는

생각에 고마운 곳, 고마운 사람들이 있는 곳이라고 생각했었다. 아이러니하게도 나는 홍콩을 제외하고 아직 중국을 가본 적이 없다.

1998년, 태호가 약 8년 만에 한국으로 돌아오게 되었다. 할머니가 태호를 돌봐주신다고 했다. 할아버지가 돌아가시고 2년 뒤여서 적적해하시기도 할 무렵이었다. 엄마와 외삼촌이 태호를 데리러 갔고 휠체어를 타고 비행기를 타면 승무원들이 좌석으로 태호를 옮겨주었다고 했다. 귀국 날 나는 같이 공항에 가지 못했다. 고등학생이었던 탓에 학원에 가야 했고 결정적으로 자동차에 탈 자리가 없었다.

태호가 한국에 오고 만난 곳은 친할머니댁이었다. 태호가 중국에서 치료를 받으면 더 나아질 것이라고 가족들은 생각했지만, 청소년이 된 태호는 어렸을 때의 모습과 많이 달라져 있었다. 키도 크고 골격도 커져서 이제는 청년티가 났고, 어른 혼자서도 태호를 옮기기가 어려워지게 됐다. 태호는 공항으로 마중 나오지 않은 나에게 대단히 삐져 있었다. 밥도 먹여주던 큰 누나가 나오지 않았으니 실망이 대단했던 것 같다. 대신 마중 나간 여동생에게는 방긋방긋 웃어주며 눈도 맞춰주었다.

그 후로도 몇 년간 내가 보러 갈 때는 삐진 내색을 장착하고 내가 열심히 변명하면 그제야 눈을 마주쳐 주었다. 우리끼리의 놀이가 된 것이다.

11 학교

태호는 한국에 와서 학교에 다니게 되었다. 학교 다니기 전, 장애인 복지관에 선생님 방문을 신청해서 일주일에 두 번 방문 선생님이 집으로 와서 태호를 돌봐주었었다. 처음에는 여자 선생님, 두 번째는 남자 선생님이었다. 그 남자 방문 선생님이 태호를 데리고 지하철도 태워서 구경시켜주시고 대중탕에 데려가서 같이 목욕을 시켜주시기도 했다. 그 당시, 태호가 응가를 하는 통에 난리가 난 적도 있었다.

나중에 그 선생님이 특수학교를 소개해주었다. 때마침 정민학교라는 특수학교가 설립되었다. 김대중 대통령 임기 중에 생긴 마지막 특수학교였다. 외국의 학교를 모델로 하여 요리시설부터 수영장까지 있어 시설이 무척 좋았다고 했다. 대통령 본인이 장애인이었기 때문에 더욱 신경을 써서 만든 학교라고 했다.

처음에 엄마는 태호가 몸도 불편한 데 학교에 어떻게 다닐 수 있겠느냐고 했다. 그 선생님은 태호보다 더 몸이 불편한 학생들도 다닌다고 했다. 학교 통학버스도 가능하다고 알아봐 주었고, 태호는 초등학교 6학년부터 7년간 학교에 다닐 수 있게 되었다.

한 반에 다섯 명밖에 없어서 선생님들이 더욱 장애인 학생들에게 신경을 써주었다. 장애인 혜택으로 무료로 학교에 다녔다. 일주일에 한 번 수영하는 시간이 있으면 선생님 한 명이 태호를 전담해서 돌봐주었다. 마음대로 물감 묻혀서 그림 그리는 시간도 있었다. 나도 유일하게 좋아했던 스포츠가 수영이었고, 그림 그리는 것을 좋아했는데, 남매는 남매인가보다.

아침에 여자 경찰들이 봉사를 나왔고, 낮에는 주변 학교의 여학생들이 봉사 와서 밥을 먹여주기도 했다. 태호는 특히 여학생들이 올 때를 좋아했다고 한다. 청와대 구경도 같이 갔고, 택시 기사분들이 봉사로 태호 휠체어도 밀어주었다고 한다. 엄마는 그 시간이 태호에게 인생에서 제일 행복한 시간이었다고 했다.

밖에 나가는 것을 좋아하는 태호는 아침에 학교 버스

타는 시간을 손꼽아 기다렸다. 중국에서부터 태호를 돌봐주던 요양 보호사분이 한국으로 오게 되어 등교를 도와주었다. 그 요양 보호사분을 우리는 태호 아줌마라고 불렀는데, 버스를 타면 멀미가 심해서 한동안 고생을 하셨었다. 그래도 태호가 수업 듣는 동안 다른 학부모님과 이야기를 나누기도 했다고 한다. 나중에 태호 아줌마 딸들도 한국으로 시집을 왔고, 남편분도 한국에 취직하게 되어 온 가족이 한국에 터를 잡게 되었다.

그 시간도 지나 태호는 학교를 졸업하게 되었다. 큰 강당에서 꽃다발을 받고 졸업식을 했고 선생님들이 열심히 사진을 찍어서 직접 보내주기도 했다. 엄마는 그 학교 선생님들은 매우 친절하셨고 엄마가 만나 본 중에 가장 봉사 정신이 투철한 분들이라고 했다. 졸업식 날, 몸이 안 좋아서 약을 먹고 늦잠을 잔 나는 롯데월드에 가서 태호를 축하해 주었다. 그때 같이 정민학교를 가 봤어야 했는데, 안타까웠다.

그 뒤로 등교할 학교가 없어지자 태호는 정기적으로 밖

으로 나갈 수 없어 매우 심심해했었다. 그래서 엄마는 태호를 돌봐주던 선생님께 문의해서 복지관에 갈 수 있다는 이야기를 듣고 준비했었다. 그런데 J 학교처럼 학교 버스가 없어 자비로 장애인 택시를 이용할 수밖에 없었다. 교통비가 만만치 않게 되자 복지관에 다니는 것을 포기할 수밖에 없었다.

어떤 장애인 부모의 인터뷰에서 정규 학교가 끝나고 나면 막막하다는 이야기를 들은 적이 있다. 그 이후에는 온전히 부모가 장애 아이를 100% 부담해야 하기에 힘들다는 내용이었다. 엄마는 J 학교가 생긴 것에도 매우 감사해했었다. 그 이전에는 태호가 다닐 학교도 마땅치 않았기 때문이었다. 태호가 태어났던 시기에 비하면 장애인 혜택이 많이 좋아지긴 했지만, 앞으로 조금이라도 나아지는 방향으로 가면 좋겠다.

12 명절 때만 누나

태호가 한국에 오기만 하면 매일 놀아주고 옆에 있어 줘야지 생각했었다. 그런데 현실은 녹록지 않았다. 친할머니와 살게 된 태호를 보려면 거쳐야 할 관문이 항상 있었기 때문이다. 나에게는 조금 무서운 친할머니께 인사를 드린 후에 태호를 볼 수 있었다.

할머니와 대화하는 시간이 태호랑 노는 시간보다 짧으면 눈치가 보이기 시작했다. 그리고 고등학교 입시가 겹치자 더욱더 할머니 댁을 찾기 어려워졌다. 대학은 어디 갈지 공부는 잘하는지 등의 질문이 심적으로 버거웠다. 우리 집과 할머니 댁의 거리도 한몫했다. 명절에는 꼭 가야 했기에 나는 태호에게 명절 때만 챙기는 누나가 되었다.

명절에는 엄마, 작은 엄마, 고모가 음식을 하면 나와 여동생은 태호 옆에 앉아서 노닥노닥 수다를 떨었다. 항상 그렇듯, 둘이서 말꼬리 잡고 싸우기 시작하면 태호는 옆에서 까르르 웃기 시작했다. 누나 둘이 싸우는 것을 구경하기 좋아했고, 팔 힘이 강한 태호와 여동생은 팔씨름 대결을 하기도 했다. 할머니 댁에는 덩치는 크지만, 순둥이 잉글리쉬 쉽독 강아지가 있었다. 강아지 이름은 K였다. 고모 친구가 키우던 K는 이사 때문에 잠깐 할머니댁에서 머물기로 했었다. 그런데 그 시간이 길어지면서 고모와 정이 들어 계속 할머니와 살게 되었다. 오기 전부터 훈련을 잘 받아 예의가 있는 강아지였다. 신기하게도 K는 태호가 몸이 불편한 것을 아는지 태호를 괴롭히거나 귀찮게 하지 않았다. 태호는 가족과 친척들이 모이는 왁자지껄한 명절날을 좋아했다.

태호는 예쁜 여배우가 나오는 드라마를 좋아하기도 했다. 평소에는 TV를 켜놔도 잘 보지 않다가 좋아하는 여자 연예인이 나오면 집중해서 봤다.

명절이면 할머니 댁에 가족뿐 아니라 외부 사람들도 인사를 하러 오곤 했다. 그래서 몸이 불편한 태호가 할머니 댁에 있는 것을 신경 쓰는 분들도 있었다. 하지만, 집안의 강력한 권력 일인자 할머니의 비호에 태호는 할머니 댁에 약 20년 동안 터줏대감으로 있을 수 있었다.

13 거짓말

태호에 대해 일부러 숨기는 일은 없었다. 그렇다고 굳이 상대방이 물어보지 않는데 시시콜콜히 태호에 관해 설명하지도 않았다.

그런데 딱 한 번 거짓말을 한 적이 있었다. 옆 동 아파트에 살던 중고등학교 동창 G네 집에 놀러 갔을 때였다. G네 엄마는 친절하시면서도 궁금증이 많은 분이라 내 형제에 대해 질문을 하기 시작했다. 동생이 몇 명이냐, 동생은 어느 학교 다니느냐 물으셨다. 그때 그냥 여느 때처럼 그냥 외국에 있다고 하면 넘어갔을 질문이었는데, 워낙 꼬치꼬치 물으시는 통에 그냥 옆 학교에 다닌다고 거짓말을 해 버렸다. 그랬더니 몇 학년 몇 반을 물으시곤, G의 막내 남동생과 동갑이라고 엄청나게 기뻐하셨다. 나중에 우리 엄마에게 같이 공부시키자고 해야겠다고 하셨다.

아차 싶었다.

여태 태호에 관해 거짓말을 한 적이 없던 나였는데 일

이 커져 버렸다.

3일 동안 머리 싸매고 고민하던 나는 매도 빨리 맞는 것이 낫겠다고 생각해서 G와 만나기로 했다. G와 동네 맥도날드에서 만나 사실은 동생이 아프고 외국에 있다고 실토했다. G는 별 내색 없이 가만히 듣고 있었다. 그 뒤로도 G의 어머니를 여러 번 뵀었는데 남동생에 대해 더는 묻지 않은 것을 보면 G가 잘 설명했던 모양이다.

14 솔직히

중고등학교 때 친했던 L은 외동딸이었다. 그 당시 유행하던 교환일기도 쓰고, 다이어리 꾸미기, 엽서 주고받기를 했던 친구였다. L은 항상 나의 일기, 엽서는 내용이 없고 무성의하다고 타박을 했었다. 사실 나에게는 형식적이고 의무적인 답장일 뿐이라 알맹이는 하나도 없는 내용이었다.

L과 더욱 친해진 뒤 한번은 L이 힘든 마음을 나에게 털어놓았었다. 외동딸이라 너무 불안하다고 했다. L의 어머니는 혹여나 사고나 병으로 인해 L이 혼자 남게 될 경우를 항상 대비해야 한다고 아주 어렸을 때부터 가르치셨다고 했다. 통장이 어디에 있는지, 돈은 어떻게 찾아야 하는지, 금고의 비밀번호를 혼자만 알고 있어야 한다든지 엄마가 수시로 알려주셨다고 한다. 친한 친구끼리는 비밀을 공유하는 것이니 L은 본인의 가장 힘든 비밀을 나에게 털어놓았다. 처음에는 안쓰럽기도 했지만, 나의 상황과 비교해보면 부럽기만 했다.

L의 힘든 상황을 듣다가 나의 상황을 말해버렸다. 나도

나의 중요한 일을 털어놓아야 한다고 생각했었던 것 같다. 나는 동생도 셋이고, 남동생이 아파서 부모님이 못 돌보는 상황이 되면 내가 돌봐야 한다고 말이다. 엄마는 본인은 태호 보낼 때까지만 살면 그만이라고 이야기하곤 했었다. 아빠는 내가 장녀라 우리 집안의 살림 밑천이라고 이야기하곤 했었다. 뭔지 모를 책임감을 어깨에 얹은 느낌이었다.

그 이야기를 듣고 L은 입을 다물었다. 직접 말하지 않았지만, 사실은 내가 더 힘들다는 것을 말하고 싶었나 보다. 그래서 내 교환일기나 엽서에 알맹이가 빠졌던 것 같다.

15 폐렴

내가 일본에서 공부하고 있을 때, 태호가 폐렴에 걸려서 중환자실에 입원했다는 연락을 받았다. 다행인지 불행인지 나는 2011년 대지진 때문에 대학원 입학이 미뤄진 상황이었다. 하고 있던 일본어 공부가 대수냐 하고 한국행 항공권을 끊었다.

내가 병원에 도착했을 때, 태호는 중환자실에서 일반병실로 옮긴 상태였다. 폐에 물이 차서 구멍을 뚫어서 빼낸 상황이었다. 아마 음식물이 잘못 넘어가서 쌓인 것이 폐에 문제를 일으킨 것 같다고 했다. 먹일 때마다 성인이 된 태호를 앉혔다가 눕혔다 하기는 쉽지 않은 일라 누워서 먹기도 했었다. 태호의 상태가 좋지는 않았지만, 아프면 소리 지르고 내 얼굴 보고 가끔 웃어주기도 했다. 그래도 위독한 상황이었다.

친구 W는 나에게 태호에 관해 들어 잘 알고 있었다. 태호가 위독해서 일본에 왔다고 하니 태호를 보러 가도 되느냐고 물었다. 엄마에게 조심스럽게 물으니 그러라고 했었다. 태호는 링거도 맞고 콧줄도 끼고 폐와 연결된 관 같은 것도 몸에 꽂혀있었던 것 같다. 몰골이 정말 말이 아니었다. W는 태호를 보고 인사를 하고 갑자기 복도로 나가버렸다. 따라 나갔는데, 펑펑 울고 있었다. 눈물 콧물 범벅이 된 W를 위로했는데, 정확히 왜 울었는지는 잘 모르겠다. 나를 위로해주러 왔다가 내가 W를 위로하는 아이러니한 상황이 연출됐다. 태호의 상태를 보고 매우 놀랐던 것 같다. W는 마음을 가다듬고 다시 병실로 돌아가서 태호에게 말도 걸고 밝은 얼굴로 이야기를 하다가 집으로 돌아갔다. 태호는 크리스마스 때까지도 병원에 입원해 있었는데, W는 태호를 위해 작은 트리를 사주기도 했었다.

병원의 어떤 여의사가 와서 태호는 이제 퇴원해도 된다고 이야기했다. 그러면서 앞으로는 기계로 가래를 빼야 하니 요양병원을 소개해주겠다는 말을 덧붙였다. 엄마는 요양병원은 절대 안 된다고 단호하게 이야기했다.

퇴원 후, 태호는 할머니댁으로 복귀했고 엄마는 가래 빼는 기계를 대여했다. 코에 끼는 호수를 청결하게 관리하는 것이 중요했다. 코를 하루에도 여러 번 쑤셔대니 태호 코가 헐기도 했었다. 나는 가족 중에서도 태호의 반응을 잘 알아채는 편이었다. 그래서 간호하는 동안 태호가 눈짓으로 나에게 명령하고 부려먹었다. 이제 태호가 살아났구나 싶었다. 그래서 태호가 어느 정도 안정을 찾을 즈음 나는 다시 일본으로 돌아갔다.

그리고 얼마 안 있어 일본어 학교 졸업식이 있었다. 그때 돌아가면서 한마디씩 이야기를 했는데, 나는 말도 꺼내기 전에 눈물이 터져서 아무 말도 하지 못했다. 그때부터 울기 시작해서 온종일 울었던 것 같다. 태호가 오래 우리 곁에 있지 못할 수 있다는 것을 예감했다.

16 요양병원

엄마는 태호를 절대 요양병원에 보낼 수 없다고 했었다. 엄마는 예전에 친척의 추천으로 수녀님들이 하는 요양원에 가본 적이 있었다. 정말 돌아가시기 전의 환자분을 짧게 모시는 호스피스 병동 같은 곳이어서 의사소통도 가능하고 가족과 있는 것을 행복해하는 태호를 보낼 수 없다고 했었다. 하지만 태호의 든든한 배경이 되어 주었던 친할머니가 돌아가시고 집을 처분하기로 하면서 태호가 있을 곳이 마땅치 않게 되었다.

친구 Y는 왜 집에서 태호를 돌보지 않느냐고 물은 적이 있다. 우리가 사는 아파트, 가족 구성원의 의견 불일치로 쉽지 않은 일이었다. 30년 넘게 중풍 환자를 돌보는 일과 같았다. 크게 폐렴을 앓은 후, 태호의 가래를 하루에 3번 정도는 기계로 빼줘야 했고 먹는 음식도 잘 넘어갈 수 있게 갈아서 줘야 했다.

나는 그 당시 일본에서 공부하고 있었다. 아무래도 태호를 요양원으로 보내야 할 것 같다고 엄마에게 전화가 왔다. 지인에게 알아본 요양원의 위치가 우리 가족이 있는 서울과는 너무 먼 곳이었다. 같은 서울 아래 있어도 명절 때만 보는 데 거리까지 더 멀어져 버리면 진짜 얼굴 보기가 어려울 것 같았다. 무조건 서울에 있어야 한다고 생각했다. 그리고 태호가 폐렴을 앓은 이후로 가래 문제가 생겼기 때문에 요양원보다는 요양병원이 낫겠다고 생각을 했다.

우선 서울 안에 있는 요양병원 리스트를 만들었다. 그리고 전화하기 시작했다. 나는 일본에 있었지만, 한국으로 자유롭게 전화를 할 수 있는 인터넷 전화가 있었다. 새벽에도 제대로 돌보는지 궁금해서 일부러 새벽에 전화를 걸어보기도 하였다. 대부분 태호의 나이는 요양병원 입원 조건에 해당이 되지 않는다고 거절 의사를 밝혔다. 그러던 중, 효성요양병원에 새벽에 걸었을 때, 가능할 것도 같다며 다음날 오전에 다시 전화를 해보라고 알려주었다.

나는 기쁜 마음에 엄마에게 효성요양병원 전화번호를 주었다. 다행히 할머니 댁에서 거리상 그리 멀지 않은 곳이었다. 효성요양병원에 태호 또래의 형이 한 명 있어서 받아줄 수 있다고 했다. 그 이후로 태호는 요양병원에 있게 되었다.

면회하러 갔을 때, 태호는 집에 가자고 울먹였었다. 6인실을 쓰고 있었는데, 태호를 제외하고는 거의 죽음을 앞두고 계신 노인분들이 누워 계셨다. 무서울 수도 있겠다고 생각했지만, 다른 대안이 없었다. 방에는 한 명의 요양 보호사분이 여섯 명을 돌아가며 돌봐주셨다. 태호 있는 동안, 여러 번 요양 보호사가 바뀌었다. 태호랑 의사소통이 잘 되는 분도 있었고, 그렇지 않은 분도 계셨다.

요양병원이 가톨릭 쪽과 연결이 되어 있어 매주 외국인 신부님이 병원에 와서 미사도 보고 같이 기도를 해주었다. 신부님이 태호 손을 꼭 잡고 기도를 해주면 태호가 좋아했다. 1층에는 미술 치료 하는 곳도 있어서 휠체어를 타고 내려가서 태호가 좋아하는 그림을 그리기도 했었는데, 태호를 옮기기가 쉽지 않아 계속 이어서 하지는 못했다. 그 무렵 나도 미술 치료에 관심이 생겨 관련 책을 읽다가 색채 심리에 관심을 두게 되었다. 하지만 임상으로 환자들을 보며 치료하는 것이 쉬운 일이 아니라는 것을 금세 깨닫게 되었다. 항상 시설을 깨끗하게 관리하였고, 방문객도 꼭 소독하고 새 슬리퍼로 갈아신고 들어가게끔 철저하게 관리하는 병원이었다.

엄마가 나를 보러 일본에 잠깐 들렀을 때, 태호 병원에서 전화가 왔다. 태호가 가래 문제로 잘 먹지 못해 소변이 나오지 않는다고 연락이 온 것이었다. 태호가 있는 방을 담당하는 요양 보호사분들이 여러 번 바뀌었는데, 태호에게 음식을 먹일 때마다 토하는 횟수가 늘어나 잘 먹이지 않아 생긴 문제였다. 결국, 태호가 요양병원에 입원한 지 1년이 지나 콧줄을 계속 끼고 있게 되었고, 아무것도 목으로 넘겨서 먹지 못하게 되었다. 대신 콧줄로 뉴케어를 끼니마다 챙겨주었다. 먹는 것을 좋아하는 태호가 얼마나 고통이었을까 싶다.

엄마는 매주 태호를 보러 면회를 하러 갔었는데, 답답

해하는 태호를 위해 휠체어에 태워 병원 옥상에 있는 정원으로 나들이를 나가곤 했다. 그때마다 태호가 좋아하는 치즈랑 우유를 챙겨가서 몰래 입으로 먹이곤 했다. 한번은 크게 탈이 나서 태호가 토하고 열이 났다. 병원 관계자분이 엄마에게 몰래 음식물을 먹이면 큰일 난다고 단단히 타이른 탓에 그 뒤로는 몰래 먹이는 것도 할 수 없게 되었다.

욕창을 방지하기 위해 요양 보호사분이 자세를 이리저리 바꿔주었고, 태호는 성인용 기저귀를 차고 있어야 했다. 엄마가 기저귀가 떨어졌다고 이야기하면 내가 인터넷으로 주문을 해주기도 했었다. 목욕은 전용 목욕탕에서 차례로 진행되었는데, 깔끔한 것을 좋아하는 태호는 자기 먼저 해달라고 졸랐다고 했다. 멋있게 생긴 태호 머리는 관리하기 쉽게 항상 까까머리로 유지되었다.

태호를 어렸을 때부터 돌봐주던 태호 아줌마는 태호의 치아 관리에 매우 신경을 썼다고 이야기하곤 했다. 정민 학교 다닐 때 보면, 태호 치아가 제일 깨끗했었다고 뿌듯해하곤 했는데, 요양병원에 있는 것이 오래되다 보니 치아도 이전보다는 관리하기 쉽지 않게 된 듯 했다.

요양병원 입구에 들어서면 항상 실장님이 태호 누나 왔다고 알아보시고 첫째 누나인가 둘째 누나인가 확인하시고 반갑게 인사해주곤 하셨다. 한 번은 요양 보호사분이 나에게 떡을 준 적이 있었다. 그 방에서 누가 돌아가시면 그 가족이 병원에 감사의 뜻으로 떡을 돌린 것이었다. 요양 보호사분은 떡이 지겹다고 했었다. 요양병원 근처에 떡집이 있어서 거기에서 대부분 주문을 하는 모양이었다.

태호가 손으로 콧줄을 확 빼버리곤 했었는데, 그 횟수가 점점 늘어나 나중에는 한쪽 손을 침대에 묶어 놓기도 했었다. 면회 갔을 때, 콧줄 빼면 어떡하냐고 타이르자 배시시 웃기도 했었다. 콧줄을 빼면 아플 텐데도 간호사 선생님이나 엄마가 관심을 가지니 재미가 들린 모양이었다.

태호 말고 노인이 아닌 환자가 한 명 더 있었다. P는 24살 때 갑자기 아무런 이유 없이 반신불수가 됐다고 했다. 건강했을 때는 오토바이도 타고 신나게 놀러 다녔었다고 했다. 내가 태호 보러 가면 그 형이 반갑다고 쳐다보고 반응을 하기도 했었다. 그 형이 먼저 입원해 있던 덕에 태호도 그곳에 입원할 수 있었다. 면회 가면 가끔 그 형이 보이지 않을 때도 있었다. 그때는 P형은 집에 들르러 잠깐 외출 간 것이라고 했었다. 그러면 태호는 집에 간 P를 부러워했었다.

한밤중에 그 형이 소리를 지르면 태호도 소리를 질렀다. 그러면 그 형이 더 크게 소리를 지르고 태호도 지지 않고 더 크게 소리를 질렀다. 둘이 소리 지르기 대결을 하는 통에 병원 관계자들이 애를 먹기도 했었다고 했다.

오랫동안 의사소통되는 환자가 그리 많지 않아 태호는 병원에서 8년간 특별한 존재였다.

17 코로나

코로나 때문에 거리 두기 기간이 길어지면서 요양병원 면회는 약 2년간 아예 할 수 없게 되었다. 그전에도 아주 자주 면회를 가지는 못했지만, 그래도 얼굴 보고 싶거나 꿈에 태호가 나왔거나 병원 근처를 지날 때 잠깐 얼굴 보고 올 수 있었다. 태호와 영상 통화가 가능해진 것도 코로나 팬데믹 중에서도 한참 뒤의 일이었다.

첫 영상 통화에서 태호가 울었다. 중국에 있었을 때도 주변에 친척이 있거나 돌봐주시는 분이 있어 전화도 자주 하고 면회도 아빠, 할아버지, 외삼촌, 엄마가 번갈아 가며 갔었다. 그래서 이렇게까지 얼굴을 보지 못하지는 않았는데 코로나는 해도 해도 너무했다. 한번 영상 통화가 가능해진 뒤에는 좀 더 주기적으로 영상으로라도 얼굴을 볼 수 있었다.

태호는 이층집에 살던 시절, 도베르만 솔라와 진돗개 이삐도 봤었고, 할머니 댁에서는 양치기 개, 잉글리쉬 쉽독 K도 봤었기 때문에 강아지에 익숙했다. 그래서 내가 코로나 시기에 키우게 된 말티푸 카푸를 영상 통화로 보여주곤 했다. 태호는 카푸를 보고 미소를 지었다. 실제로 같이 만날 수 있으면 좋을 텐데, 태호가 병원에 있는 한 코로나 시기가 끝나더라도 쉽지 않아 보였다.

영상 통화도 너무 자주 하거나 가족들이 제각각 부탁하면 병원 관계자의 부담이 늘어나 여러 명이 모여있을 때 2주일에 한 번쯤 부탁하는 것이 적절했다.

요양병원에 계속 있으려면 코로나 백신 접종은 선택이 아닌 필수였다. 처음 아스트라제네카가 나왔을 때, 병원에서 동의서를 요구해 왔다. 엄마가 전자서명을 하고 내가 컴퓨터로 PDF 문서를 만들어서 보냈다. 그런데 병원에서 다시 연락이 와서 화이자가 들어올 때까지 좀 더 기다리자고 했다. 태호는 병원의 배려로 화이자를 맞을 수 있었다. 화이자 2차까지 맞고 코로나 전파가 조금 시들해지자 면회를 할 수 있게 되었다.

가족이 제각각 다른 시간에 면회할 수는 없었다. 코로나 신속 항원검사도 해야 했고, 환자를 다른 병실로 옮겨서 만나야 했기 때문에 한 번의 면회에 병원 측이 준비해야 할 일이 예전에 비해 엄청나게 늘었다. 엄마와 나, 여동생 계획을 맞춰서 다 같이 모여 태호를 면회하러 갔다.

코로나 검사를 받고 들어간 곳은 원래 태호가 있던 병실이 아닌 다른 병실이었다. 따로 면회실이 준비되어 침대에 있는 태호와 의료진들이 함께였다. 병원장 의사님과 수간호사님도 같이 나와 인사를 하고 이런저런 설명을 해주셨다. 카푸 누나가 누구냐고 간호사분이 물어보기도 했다. 영상 통화로 강아지 카푸를 항상 보여줘서 궁금했다고 했다.

태호는 걱정했던 것보다 양호해 보였다. 병원에서 8년가까이 있다 보니 병원장님이 태호가 병원의 마스코트이자 귀염둥이라고 이야기해주셨다. 그만큼 애정을 쏟고 계신다는 의미이겠지. 코로나 팬데믹이었지만 태호를 직접 만나니 그나마 다행이라고 느껴졌다. 그 병원의 환자 중에 태호가 제일 어린 청년이었다.

오래 기다리고 준비한 것에 비해 면회시간은 턱없이 짧았다. 태호를 직접 만지고 싶었지만, 직접 터치를 하면 안 돼서 우리는 비닐장갑을 끼고 만질 수밖에 없었다. 그래도 유리창을 통해 면회하는 환자도 있다고 하니 우리는 더 가까이 태호를 볼 수 있었다. 그것도 병원 측의 배려였던 것 같다. 태호가 효성요양병원에서 8년째 입원 중이었으니 병원 관계자들이 태호의 지인이나 다름없었다. 엄마는 병원의 실장님과 자주 통화를 하며 태호의 상태에 관해 전해 들을 수 있었다. 그 실장님이 태호를 매우 신경 써주셨고 엄마와는 수시로 이야기하고 나와도 여러 번 통화를 한 기억이 있다.

그리고 한 달 후, 다시 면회가 가능하다는 연락을 받았는데, 일을 핑계로 영상 통화로 대신했다. 그 후, 태호가 갑자기 위독하다는 연락이 왔다.

아…. 그때 면회를 하러 갔어야 했는데….

혹시나 가족들이 챙기지 않는다고 생각해 몸이 더 약해

진 것은 아닐까…. 별별 생각을 하면서 다음 면회 날짜를 기다렸다.

면회 날, 이전과 마찬가지로 1층에서 코로나 검사를 하고 결과를 확인했다. 들어가기 전, 저번 면회와는 사뭇 달랐다. 태호가 위독해 병실을 옮기기가 어려워 우리가 병실로 직접 들어가야 하니 방호복을 입어야 했다. 중무장하고 병실로 들어갔다.

태호는 초점 없는 눈으로 멍하니 천장을 보고 있었다. 항상 잠들기 싫어하고 또렷하게 눈을 마주쳤던 태호의 모습과 달랐다. 돌봐주시던 간호사분에 의하면 면회 날 아침 정말 상태가 안 좋았기 때문에 눈을 뜨기 힘들어 했다고 울음을 터트리셨다. 태호와 얼마나 친한지 알 수 있었다. 감사한 마음이었다.

엄마가 태호를 부르고 비닐장갑 낀 손으로 만지자 우리를 보기 시작했다. 우리가 하는 말에 작게나마 반응을 해주었다. 그때 힘들지? 하고 꼭 안아주고 싶었는데, 정말 마지막이 되어버릴까 하는 두려움과 방호복의 부피 때문에 비닐장갑 낀 손으로 얼굴과 손밖에 만져줄 수 없었다.

병원장 의사 선생님과 따로 면담 시간을 갖게 되었다. 태호의 지금 상태에 관해 설명해주시며 마음의 준비를 하라고 말씀하셨다. 드라마에서나 들을 법한 대사였다.

그 후 태호는 거의 먹지 못하는 상태로 살이 많이 빠졌다고 했었다. 코로나 상황이 다시 안 좋아져서 면회할 수 없게 되었다. 태호 임종 전에 태호를 만나고 싶어 하던 고모들도 만날 수 없었다. 태호에게 시간이 얼마 남지 않게 되자 특별히 다시 면회할 수 있게 병원에서 배려해 주셨다. 엄마와 나, 여동생은 날짜를 맞춰 예약했다. 이번 면회가 마지막이 될 수도 있겠다고 생각했다. 이번에는 꼭 안아주고 와야겠다 생각했다.

18 마지막 안녕

월요일 아침에 일어나서 카톡을 확인했다. 가족 단톡방에 태호가 새벽 6시 34분에 눈을 감았다고 엄마에게서 메시지가 와 있었다. 태호가 내가 보고 싶으면 꿈에도 나오곤 해서 우리는 뭔가 연결된 느낌이 있었는데, 그게 끊어졌나 보다하고 생각했다. 태호가 눈을 감은 날은 우리가 면회하기로 한 날의 바로 전날이었다.

태호는 육체의 속박에서 벗어난 날이니 엄마는 태호에게 좋은 날이라고 했다. 태호는 엄마 얼굴을 보고 편안하게 눈을 감았다고 했다. 코로나 후, 두 번째 면회가 태호를 본 진짜 마지막이 되어버렸다. 마지막에 사경을 헤매면서도 가족들에게 눈을 맞춰주고 두 달 정도 더 버텼다. 엄마는 겨울이라 너무 추우니 좀 더 따뜻한 봄까지 버티면 좋겠다고 했었는데, 겨울을 넘기지 못했다. 마치 가족이 모이기로 한 날을 알았던 것처럼 그날 입관식을 진행하게 되었다.

태호가 눈을 감은 날, 처음에는 무뚝뚝했던 병원장 의사 선생님께서 엄마에게 태호와의 기억을 들려주었다고 한다. 8년이나 병원에 있었으니 태호의 눈빛만 봐도 상태가 어떤지 의사 선생님은 아셨다고 했다. 태호가 떠나면 병원 관계자들도 허전할 것 같다며 한동안 태호 자리를 비워두겠다고 하셨다. 아침마다 회진을 돌 때면, 담당 요양 보호사분이 태호에게 잘 해주지 않으면 얼굴도 쳐다보지 않고 있었고, 잘해주고 커뮤니케이션이 잘 되면 방긋방긋 웃고 있었다고 했다. 태호가 원장 선생님께 눈빛으로 이르곤 했고, 원장 선생님은 알아차렸다. 태호를 돌봐주었던 많은 간호사분도 엄마에게 인사를 전했다고 했다. 태호는 비록 몸은 아팠지만, 인복이 많았다.

태호가 눈을 감았다는 이야기를 듣고 장례절차를 준비해야 해서 나는 서둘러 서울로 갔다. 태호는 구급차에 실려서 다른 병원으로 이송 중이었다. 내가 도착했을 때는 이미 시신 안치실로 이동을 한 뒤였다. 효성요양병원의 원장 의사 선생님께서 마음의 준비하라고 우리에게 이야기를 해주신 뒤, 엄마와 장례에 관해 검색하고 준비를 했었다. 미리 연락해 둔 상조회사에 연락하니 바로 담당자가 태호가 안치된 병원으로 달려오셨다.

엄마는 태호가 병원에 오래 있었기 때문에 지인이 없어 빈소 없이 바로 입관식과 화장을 진행하고 싶다고 했다. 하지만 바로 화장터를 예약하는 것이 불가능해 12시까지 시간을 기다려야 했다. 자리가 없는 경우, 세종시까지 내려가야 할 수도 있는 상황이었다. 우리는 인천에서 화장할 수 있으면 좋겠다고 생각했다.

12시가 지나 부평 가족 추모공원에 자리가 나서 바로 다음 날 화장을 진행할 수 있게 되었다. 엄마와 미리 계획한 대로 진행하게 된 것이다, 코로나여서 제대로 얼굴도 못 봤지만, 그래도 이전보다 코로나가 수그러들었던 시기이고 가족 모두 코로나에 걸리지 않아 태호 얼굴을 보고 입관식을 진행할 수 있어서 감사했다.

안치실에 이동하면 입관 전에도 얼굴을 볼 수 있을 줄 알았다. 수사 드라마를 봤던 영향이었다. 죽음을 맞이하면 입관식때 딱 한번 보고 보내주는 것임을 그제서야

깨달았다. 입관식은 당일 밤 아홉 시에 진행되었다. 입관식을 앞두고 나는 계속 체한 느낌이었다. 긴장이 많이 됐던 모양이다.

입관실에 들어가니 고요했다. 한가운데 태호가 누워있었고 얼굴을 볼 수 있었다. 엄마와 여동생이 크게 울기 시작했다. 나도 눈물이 터져 나왔는데, 나는 그때도 크게 소리 내 울지 못했다. 막내 남동생은 덤덤하게 서서 지켜봤다. 장례지도사분이 이런저런 설명을 해 주셨다. 이쪽 분야에서는 베테랑이셨는데, 시신의 몸을 보면 얼마나 고통을 겪었는지를 알 수 있다고 하셨다. 태호의 몸을 보고 수의의 매듭이나 종이꽃 등을 더 신경 써서 넣어주셨다고 했다.

태호를 만지니 차가웠지만, 금방이라도 눈을 뜨고 눈을 맞춰줄 것만 같았다. 태호의 얼굴은 마치 수행을 오래 한 고승의 표정처럼 편안했고, 아름답다는 생각이 들었다. 순간 사진을 찍고 싶다는 생각도 들었지만, 기억 속의 아름다움으로 남겨두고 싶었다. 사진을 좋아하는 엄마도 안 찍은 것을 보면 나와 같은 생각이었던 것 같다.

이제는 태호를 나무 관으로 옮겨야 했다. 이때 막내 남동생이 태호를 안고 관 안으로 옮겼다. 그때 처음으로 아빠가 말하던 장손이 하는 일이 이거였다고 생각했다. 막내가 태어났을 때 태호는 중국으로 가 있었고, 한국으로 온 뒤에는 할머니댁, 병원에 있었기 때문에 둘은 덤덤한 사이였다. 꼭 장손이 아니더라도 형을 보낼 때 큰 역할을 할 동생이었구나 싶었다.

엄마는 태호에게 나무로 된 묵주를 손에 쥐여주었다. 태호에게 마지막 인사를 하고 관 뚜껑을 닫았다. 마지막으로 장례지도사분은 천으로 관을 감싸고 매듭을 지어주셨고 그때도 막내가 도왔다.

입관식이 끝나고 나오는 길에 장례지도사분께 엄마가 강아지도 장례절차에 참석 가능한지 물으니 데리고 와도 된다고 이야기해주셨다. 그리고 우리는 다음날 장례를 위해 각자 집으로 돌아갔다.

19 바다로

태호는 1986년 호랑이해에 태어나서 2023년 호랑이해에 떠났다. 입관식이 끝나고 집으로 돌아왔는데, 바로 잠을 잘 수 없었다. 그건 여동생도 마찬가지였다. 새벽에 카톡을 보내기 시작해서 거의 아침 6시까지 이야기를 했다.

우리 집은 항상 가톨릭 형식으로 장례를 지내왔었다. 그래서 화장을 경험한 사람이 아무도 없었다. 뒤늦게 화장절차에 관해 검색을 해보면서 약간의 두려움이 생겨나기도 했다. 엄마는 이제 땅이 부족해서 다 화장해야 하는 시대로 바뀌었다고 했다.

화장을 많이 하는 일본에서는 타고 남은 까만 뼈를 가족들이 보고 젓가락으로 동시에 같이 집어서 유골함으로 옮긴다고 했었다. 그래서 우리나라에서 반찬 싸움을 하면서 젓가락으로 동시에 음식을 짚는 광고를 보고 일본 친구는 기겁했던 적도 있었다. 일본에서는 금기시되는 행동이기 때문이다. 일본인 남편 때문에 실제로 일본 화장 장례의 경험이 있던 M 언니는 그때 좀 충격이 있었다고 했었다. 그래도 태호 자신보다 두려울까 싶어서 용기를 내기로 했다.

장례방식을 정하기 위해 엄마와 상의를 여러 번 했다. 홍수로 인해 유골함이 유실된 사건을 뉴스에서 본 적이 있다고 했다. 엄마는 태호가 병원에서 꼼짝도 못 하고 있어서 봉안당은 싫다고 했다. 봉안당에서도 좋은 자리는 유지비용이 매우 비쌀뿐더러 태호는 후손이 없기에 매년 유지비용도 의미가 없겠다고 했다. 장례방식 중에 잔디장이나 수목장도 있었지만, 한 군데에 여러 명이 들어가는 것이라 그것도 엄마는 싫다고 했다. 언젠가 엄마가 태호가 잘못되면 혼자 장례를 치를 것이고 강에 가서 뿌릴 것이라고 이야기했던 적이 있었다. 나는 그 생각이 나서 강에 뿌릴 수 있는지 찾다가 해양장이 있다는 것을 알게 되었다.

엄마는 태호는 원래 목욕이나 수영하는 것을 좋아했으니 물이 좋겠다고 했다. 여동생은 해양장이 괜찮을지 다시 생각해보자고 했다. 우리나라에서 해양장이 가능한 곳은 딱 두 군데, 인천과 부산이다. 내가 인천에서 살고 있어서 해양장으로 결정하면 자주 태호를 보러 바다에 갈 수 있겠다 생각했다.

막내는 새 회사로 이직한 지 6개월도 되지 않았다. 그래서 회사 사람들에게 형의 부고를 알리기 어려워했다. 그래도 회사에 알리고 직계 가족의 장례와 관련된 복지 혜택이 있는지를 찾아보라고 나와 여동생이 재촉했다. 몇 가지 선택사항이 있었는데, 이미 입관식을 마치고 난 뒤라 신청할 수 있는 선택사항이 없어 보였다.

회사의 인사과에서 일했던 여동생이 맨 마지막에 있던 항목은 가능할 것 같다고 이야기했다. 헛개수 열 상자와 홍삼진 네 상자의 음료 제공이었다. 보통은 빈소에 오시는 손님을 위한 선택사항이라 우리는 빈소도 차리지 않아서 이것도 해당 사항이 없지 않냐고 나는 말했다. 밤새 여동생과 카톡으로 이야기를 나누다가 태호 지인이 요양병원 관계자라는 생각을 하게 되었다. 태호 성격이면 떠나기 전에 병원 사람들에게 수고했다고 한 병씩 돌리고 싶어 하지 않았을까 싶었다. 그 이야기를 막내에게 전하니 그 말에 납득이 되었던 모양이다. 막내는 아침에 회사에 연락해 마지막 항목으로 변경 신청했다.

그리고 태호를 화장하기 직전에 병원 실장님에게서 전화로 엄마에게 연락이 왔다. 엄청 많은 음료수가 도착했는데, 잘못 보내신 것 아니냐고 물었다. 태호 동생이 보낸 것이라고 했다. 나는 떡이 아니라 요양 보호사분들도 좋아하지 않을까 생각했다.

아침부터 나는 반려견 카푸를 데리고 장례식에 가기 위해 준비했다. 카푸도 장례식 참석하기로 해서 검정 스웨터의 목 부분을 잘라내어 목도리를 만들어서 씌워줬다. 나는 자차를 타고, 엄마와 여동생, 남동생은 태호와 함께 검정 리무진을 타고 화장장에 도착했다. 남동생이 태호의 관을 맡았고, 여동생이 태호 영정을 들었다. 원래는 장녀인 내가 들었어야 했는데, 카푸를 데려가기 위해 대신 여동생이 아주 소중하게 들고 있었다. 여동생은 자신이 장례식에서 태호의 영정을 담당했다며 뿌듯해했다.

영정사진을 만들 때는 태호가 원래 입고 있던 옷과 정장 중에서 고를 수가 있었다. 가족 모두의 의견에 태호가 원래 입고 있던 자연스러운 옷으로 골랐었는데, 나는 태호가 정장을 입은 사진도 궁금했다. 그래서 화장장에 가는 길에 멋쟁이 태호를 위해 양복 입은 영정사진을 한 장 더 업체에 부탁했다. 감사하게도 무료로 추가 제작해주셨다.

내가 중학교 때 좋아했던 Z가 2년 동안 21번이어서 좋아했던 숫자였다. 얼마나 좋아했던지 버스도 21번만 탔던 시기가 있었다. 그런데 태호를 뿌릴 부표가 21번이라고 했다. 여동생이 듣더니 내가 좋아하는 숫자라고 이야기했다.

장례지도사분께 여쭈어보니 가톨릭을 믿는 집은 사십구재를 챙길 필요 없다고 하셨다. 하지만, 영화 <신과

함께>에서 본 7일마다 심판받는 이야기가 생각나서 여동생과 찾아보았다.

태호 소천일 : 음력 12월 25일, 엄마 생일

초재: 카푸 생일 & 여동생 결혼기념일, 구정

삼재 : 대보름

오재 : 아빠 생일

사십구재 : 막내 남동생 생일

끼워 맞추기일 수도 있다. 하지만 우리 가족에게 일어난 행복한 기적이면 그것으로 충분했다. 명절 때만 누나인 것을 알아서 기억할 수밖에 없는 날짜에 누군가 맞춰준 것 같았다. 이날만이라도 제대로 챙기라는 의미 같았다. 그래서 비록 우리는 가톨릭이지만, 중국에서 오래 살기도 했던 태호를 위해 그날은 태호를 생각하며 보내기로 했다. 친척 한 마리아 수녀님은 태호가 천국으로 직행하지 않으면 누가 가겠냐고 이야기 해주시기도 하셨다.

외삼촌과 바쁜 외숙모가 같이 왔다. 외숙모는 태호 어렸을 때 같이 스키장도 가고 우리 집에 와서 자주 봤었기 때문에 가깝다고 생각했다. 더군다나 외삼촌 집 가까운 데 와서 화장하게 되었다고 하니 외숙모는 바빠도 시간을 내서 꼭 가야겠다고 생각했다고 했다. 아마도 태호가 보고 싶었던 가족들이 모일 수 있는 곳을 누군가가 정해준 것 같았다. 화장이 진행되는 동안 우리는 일상에 관해 수다를 떨며 그다지 무겁지 않은 마음으로 기다렸다.

우리의 수다를 태호가 제일 좋아하지 않았던가. 약 두 시간 정도 시간이 지나자 화장이 완료되었다는 알림이 전광판에 떴다. 예전 어떤 화장장에서는 타고 남은 유골을 가족들에게 직접 보여주고 분골을 했다는 이야기를 들어서 약간 긴장을 했었는데, 태호의 남은 유골은 바로 분골 과정으로 넘어가서 볼 수 없었다. 나무 유골함을 들고 줄을 서서 기다렸다. 감사하게도 장례지도사분이 오래 아팠던 태호를 생각해서 큰 리무진을 대여해주셨다. 이 세상 떠날 때 이왕이면 더 좋게 보내주고 싶다고 하셨다.

그다음부터는 시간에 맞춰 배를 타기 위해 일사천리로 움직였다. 나는 카푸를 데리고 가야 해서 태호를 태워 주고 싶었던 내 SUV로 태호 유골을 실은 리무진을 열심히 따라갔다.

우리가 타는 배가 그날의 마지막 배였다. 원래 배를 띄우는 시간이 아니었는데, 추가 비용을 더 내고 그날 바로 배를 띄웠다. 엄마는 일사천리로 진행해야 직성이 풀리는 성격인데, 그대로 진행이 되었다.

배에 올랐다. 작게 제사를 지낼 수 있는 공간이 마련되어 있어 태호 사진과 유골함을 올리고 인사를 했다. 태호가 진짜 이 세상을 떠났다는 것이 실감 났다. 외삼촌도 해양장은 생소하다며 장례지도사분께 해양장에 관해 물어보았다. 원래는 바다에서 일하다가 돌아가신 분들을 위해 시작되었다고 했다. 약 30분 정도 항해를 하자 21번 부표에 도착했다. 장례지도사분이 구글맵에 위치를 찍어서 기억해놓으라고 하셨다. 인천공항 가는 길에 보이기도 한다고 했다. 인천대교에 내려서 바다를 보는 가족들이 가끔 있는데, 해양장을 한 가족들이라고 이야기해주셨다.

유골함을 들고 바다 쪽으로 나갔다. 바다로 보낼 유골함으로 태호 유골을 옮겼다. 가족들이 돌아가며 장갑을 낀 손으로 태호의 유골을 한 줌씩 옮겨 담았다. 유골이 따뜻했다. 유골을 한 줌 주머니에 넣어서 집에 오고 싶은 생각이 순간 들었다. 하지만 태호를 남김없이 바다로 보내주는 것이 도리라는 생각이 들어 생각으로만 남겼다. 남은 유골은 막내가 한꺼번에 옮겨 담았다.

태호를 바다로 옮겼다. 음악이 흘러나왔다. 유골함이 녹으면서 태호 유골이 퍼져나가야 하는데, 꿈쩍도 하지 않았다. 장례지도사분이 아직 태호가 떠나지 못하는가 보다고 이야기했다. 나는 마음속으로 어떤 식으로든 가끔은 누나 보러 오라고 또 만나자고 인사했다. 엄마와 여동생이 태호를 달래주는 이야기를 큰소리로 했다. 미안하다고 용서하라고 했다. 그랬더니 하얀 벚꽃잎 같은 것이 하늘에서 하나 날아왔다.

눈인가?

눈이 온다는 예보가 없었고 그날은 겨울이긴 했지만, 영상이라 그 주에서는 따뜻한 날이었다. 그리고 또 하나 하얀 꽃잎 같은 것이 떨어졌다. 눈이 내리기 시작하더니 태호의 유골함이 녹아서 태호가 바다로 퍼져 나가기 시작했다. 태호는 꽃과 함께 아름답게 퍼져나갔다. 엄마는 그 모습이 아름다워 사진과 영상으로 담았다. 태호가 자유롭게 헤엄쳐 나가는 것 같다고 엄마가 소리쳤다. 눈으로 우리 가족에게 인사를 하고 이제 자유롭게 떠나는 태호의 마음 같았다. 그때부터 예쁘게 내리던 눈은 나와 남동생과 외삼촌이 우리 집에 도착하자 마법이라도 부린 듯 말끔하게 그쳤다. 화장장에서부터 해양장을 치른 바다까지 카푸는 짖지도 않고 조용히 나에게 안겨있어서 다들 기특하다고 칭찬을 했다.

나이가 많은 아빠는 장례식에 참석하지 못했다. 태호를 예뻐했던 고모들한테도 연락이 왔었다. 대대로 가톨릭 집안인 친가 쪽은 화장에 대한 두려움이 있었던 것 같다. 태호는 친한 가족들이 모여서 보내주어 더 좋아했을 것이라고 엄마가 말했다. 무엇보다 엄마의 마음이 편했다고 했다. 태호를 보내고 막내와 삼촌이 모여서 한잔을 하고 있을 때 아빠에게 전화가 왔다. 그래도 태호에게 세상 맛을 조금은 보여주지 않았냐며 해양장으로 결정한 것이 좋았다면서 수고했다고 했다.

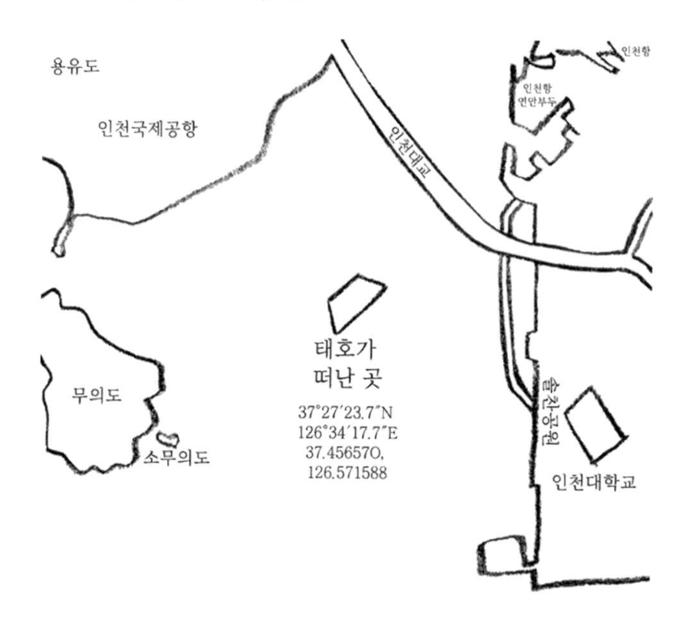

20 아오스딩

태호는 나와 여동생과 같이 유아세례를 받았다. 세례명은 친척 한 마리아 수녀님이 지어주셨는데, 태호의 세례명은 <아오스딩>이었다. 가수 신해철의 세례명과도 같았다. <아오스딩>은 원래 본명은 아우렐리우스 아우구스티누스로 젊은 시절 부모의 속을 썩였는데, 나중에는 성인이 된 인물이었다고 했다고 했다. <아오스딩>의 엄마는 모니카인데, 엄마의 세례명도 모니카다.

엄마와 할머니가 자주 가던 성당의 몬시뇰 박 신부님은 태호가 우리 집안의 복덩이라고 했다. 모든 나쁜 액운을 태호가 막아주어 가족이 잘 되게 지켜주고 있는 존재라고 말씀하셨다. 그 이야기 덕분에 태호가 중국에서 돌아와서 할머니댁에 있을 수 있었는지도 모른다.

태호의 장례식 날, 친척 수녀님에게 연락이 왔다. 다른 수녀 100분과 함께 태호가 바로 천국에 갈 수 있도록 기도를 해주시겠다고 했다. 고모들은 장례식 날 태호를 위해 연미사를 넣고 기도를 해주었다. 엄마는 태호를 보내면서 나에게 온 천사였다고 말했다.

21 범고래

21번 부표는 구글맵이나 네이버 맵에 뜨지 않는다. 그런데 인터넷에 찾아보니 해양장을 치룬 어떤 가족이 지도에 표시해서 올린 이미지가 있었다. 막내에게 해양장 때 저장해 둔 부표 위치를 보내 달라고 했다. 그 위치를 지도를 보면서 확인을 해보니 송도의 솔찬공원이면 배를 타지 않아도 그 방향으로 바다가 보이겠다 싶었다. 그래서 우리는 사십구재에 배를 타지 않고 솔찬공원에 모여서 태호에게 인사했다.

나는 내가 한국에서 직장을 잡고 어느 정도 안정이 됐을 때, 그리고 내가 일하면서 사는 인천 바다에서 태호를 떠나보낼 수 있어서 다행이라고 생각했다. 비록 빈소를 차리지 않았지만, 모든 장례절차를 격식 있고 정중하게 해서 잘 보냈다고 생각했다. 무엇보다 엄마 혼자 태호를 보내지 않아 다행이었다.

막내는 태호가 하늘나라로 떠난 것이 실감이 나지 않는다고 했다. 덤덤한 척했던 막내는 회사 동기들과 술을 마시다가 큰형이 돌아가셨다고 펑펑 울었다고 했다.

우리는 가톨릭이라 사십구재를 매주 챙기지 않아도 된다며 매주 송도에 갈 수 있을지 모르겠다던 엄마는 초재부터 사십구재까지 한주도 빠지지 않고 매주 송도에 와서 솔찬공원을 둘러봤다. 매주 일요일이었는데, 날씨가 춥다가도 희한하게 따뜻해졌다. 엄마는 어느 바다에서든 태호를 볼 수 있어 좋다고 했다. 나중에 엄마도 해양장을 하겠다고 했다.

J는

"마음은 너무 아프겠지만 동생 가벼운 마음으로 갈 수
있게 잘 떠나 보내줘."
"마지막이니까 따스하게 쓰다듬어줘."
"아, 넓은 곳으로 보냈구나. 고생했네.
동생의 짧은 시간은 남은 사람들이 채워주는 거지."

라고 입관식, 장례식 전에 따뜻한 메시지를 보내주기도 했다.

장례식에 참석하지 못한 아빠의 마음이 편할 리가 없었

다. 갑자기 새벽에 메시지가 날아왔다. 엄마가 찍었던 태호가 바다로 퍼져나가는 사진과 영상을 여동생을 통해 보고 난 후였다. 태호를 생각하면 마음이 아프다고 했다. 이제는 바다로 간 태호가 자유롭게 오대양을 누빌 수 있겠다고 했다. 나중에 범고래로 태어나서 바다를 누렸으면 좋겠다고 했다. 이제는 TV에서 범고래를 볼 때마다 태호를 떠올리며 응원하겠다고도 했다. 순간 어린아이로 돌아간 아빠와 대화하는 것 같은 느낌이 들었다.

여동생은 조카에게 태호 이야기를 해주었다. 조카를 데리고 직접 태호 면회한 적도 있었다. 사십구재에 조카가 같이 솔찬공원에 왔다.

나에게 조카가 물었다.

"이모, 태호 삼촌은 어디 있어? 태호 삼촌 보고 싶어서 오늘 예쁘게 입고 왔는데…."
"태호 삼촌은 오래 병원에 누워있다가 멀리 여행을 떠났어. 자유롭게 돌아다니고 있어."
"태호 삼촌 만날 수 있겠지? "

"그럼, 만날 수 있지. 근데 시간이 좀 걸릴 거야."

"얼마나? "

조카의 질문 공세에 순발력이 없는 나는 순간 말문이 막혔다.

"나중에"

나가며

이렇게 태호에 대해 글을 쓸 수 있는 이유는 같이 보낸 시간이 다른 가족보다 많지 않기 때문이 아닐까 싶다. 더 많은 시간을 보냈다면 너무 일상적이라 쓸 글이 없지 않았을까. 그리고 많이 보지 못한 것에 대한 미안함을 조금이라도 덜어보고자 이렇게 글을 쓰고 있는지도 모른다.

예전에 엄마는 태호에 관한 책을 아빠가 돌아가시고 나서 쓰라고 했었다. 어른들은 어릴 적부터 혹여나 내가 태호 때문에 피해 보는 일이 없기를 바랬었다. 태호가 있었던 덕에 학창시절에 삐뚤어지지 않았고, 힘든 유학 생활 중에도 몸이 아픈 태호를 생각하며 열심히 공부하면서 버틸 수 있었다. 이제는 나에게 우리 집 어른들보다 더 많은 사회생활을 하는 시기가 왔고 내가 감당할 수 있으면 써도 괜찮겠다 생각했다. 그래도 혹시나 하는 마음에 나와 태호, 강아지 이름 이외는 이니셜로 표기하기로 하였다.

태호에 관한 기억이 생생하게 남아있을 때 쓰고 싶었다. 엄마는 누군가 돌아가시고 장례를 치르면 기억도 빠른 속도로 묻힌다고 했다. 그래서 장례의식을 치르는 것이다. 그 의식을 통해 남은 사람들이 극복할 수 있게 만든다. 엄마는 금세 옛날 사람이 되어버린다고 했다. 나에게 태호가 옛날 사람이 되어버리기 전에 생각나는 이야기를 마구 적어 놓기 시작했다.

동생이 하늘나라 가고 나서 산다는 건 무엇일까 생각하게 되었다. 그리고 가족이란 무엇일까에 대해서도 생각해보았다. 가족이란 태어난 순간과 죽음을 맞이한 순간을 같이하는 것이다.

태호는 이 세상에 왔었고, 여기에 살고 싶어 했고, 잘 떠났다.

태호야, 우리 나중에 또 만나자.

2023년 5월

한태호를 추모하며

(1986.08.09-2023.01.16)